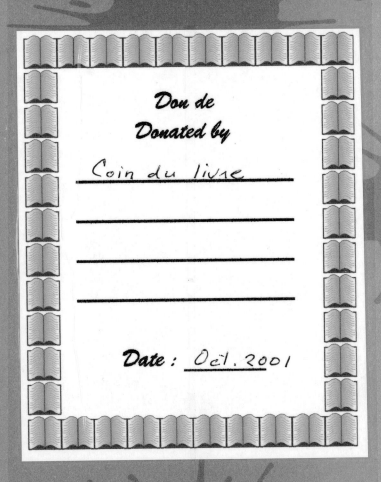

Don de
Donated by

Coin du livre

Date : Oct. 2001

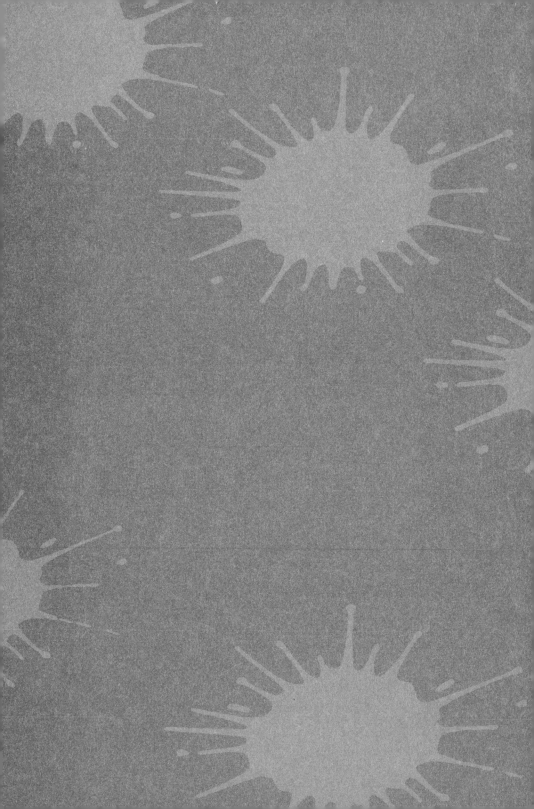

Fais gaffe !

DU MÊME AUTEUR

Ouvrages didactiques

Aide-mémoire grammatical, Montréal, Vézina Éditeur, 1987;
Montréal, Gaëtan Morin Éditeur, 1996.

Mon premier aide-mémoire grammatical,
Montréal, Éditions Michel Therrien, 1996.

Savoir orthographier les sons du français, SOS français,
Montréal, Éditions Michel Therrien, 1995.

Code grammatical en tableaux,
Montréal, Éditions Brault et Bouthillier, 1983 et 1991.

Jeu de société

Docte Rat, série «Langue française»,
Montréal, Les Productions Ludica, 1993.

MICHEL THERRIEN

*Illustrations
de Daniel Sylvestre*

Fais gaffe!

GUIDE
AUTOCORRECTEUR
DES FAUTES
DE FRANÇAIS
ÉCRIT

FIDES

Couverture : Daniel Sylvestre

Données de catalogage avant publication (Canada)

Therrien, Michel, 1947-
Fais gaffe ! Guide autocorrecteur des fautes de français écrit

ISBN 2-7621-2122-1

1. Français (Langue) — Fautes — Problèmes et exercices. 2. Français (Langue) — Auto-
enseignement.   3. Français (Langue) — Grammaire — Problèmes et exercices.   4. Français
(Langue) — Français écrit — Problèmes et exercices.   I. Titre.

PC2112.5.T43 2001   448.2   C2001-940946-X

Dépôt légal : 3ᵉ trimestre 2001
Bibliothèque nationale du Québec
© Éditions Fides, 2001

Les Éditions Fides remercient le ministère du Patrimoine canadien du soutien qui leur est accordé
dans le cadre du Programme d'aide au développement de l'industrie de l'édition. Les Éditions
Fides remercient également le Conseil des Arts du Canada et la Société de développement des en-
treprises culturelles du Québec (SODEC). Les Éditions Fides bénéficient du Programme de crédit
d'impôt pour l'édition de livres du Gouvernement du Québec, géré par la SODEC.

IMPRIMÉ AU CANADA

Notre parler a ses faiblesses et ses défauts,
comme tout le reste. La plupart des occasions
des troubles du monde sont grammairiennes.

MICHEL DE MONTAIGNE

Gaffer est humain !

Ce livre s'adresse à tous les gaffeurs et gaffeuses du français, à tous ceux qui bûchent et trébuchent sur des accents parfois circonflexes, souvent aigus et qui semblent toujours graves... sur de vrais et faux accords, sur des mots à ce point anglicisés qu'ils sont devenus « anglifiés ». Il guidera tous ceux qui persistent dans leur volonté de réussir, leur procurera un certain réconfort et, qui sait ? un peu de l'assurance qui leur manque pour faire face aux épreuves que leur réserve le monde du travail.

Conçu pour aider ceux qui désirent apprendre à maîtriser la langue écrite de façon libre et autonome, cet ouvrage traite d'environ 1000 difficultés courantes du français en proposant des exercices et leurs corrigés à la fin du livre. Les activités sont regroupées par chapitres thématiques et amènent le lecteur à dépister des erreurs, à tester ses connaissances et enfin à se relaxer après avoir si bien travaillé ou autant gaffé...

Le lecteur ne devra pas s'étonner du ton humoristique de l'ouvrage. Si gaffer est humain, rire est aussi le propre de l'homme — et de la femme !

Michel Therrien

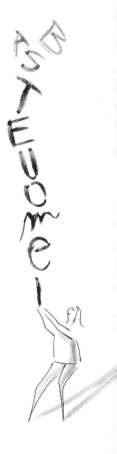

CHAPITRE 1

Le genre et le nombre

Réponses ⇒→ 228-231

Autocorrection

1. ➤ C'est écrit dans le ciel

Trouvez et corrigez l'erreur que contient la déclaration du météorologue.

« Pour ce soir, dit Romulus Nimbus, on prévoit un violent orage accompagné de grosses éclairs et de grands coups de tonnerre. »

2. ➤ Fais de l'air !

Tous les noms suivants sont du genre féminin, sauf un. Lequel ?

atmosphère, biosphère, hémisphère, stratosphère

3. ➤ Sauce piquante

Vérifiez chaque article en italique et corrigez-le s'il y a lieu.

J'ai trouvé *un* moustique dans mon spaghetti. Il doit y avoir un trou dans *le* moustiquaire de la porte !

4. ➤ Roméo et Fleurette

Trouvez le nom de fleur qui est du genre féminin et corrigez les mots qui s'y rapportent.

Dans le bouquet que Roméo a donné à Fleurette, il y avait un chrysanthème bleu, un hortensia rose, un orchidée blanc et un pétunia violet.

5. ➤ Histoire d'O

Complétez chaque phrase avec un nom commençant par la lettre o.

L'étang du parc La Fontaine est une véritable o_____ de fraîcheur. Je vais souvent m'y tremper le gros o_____.

6. ➤ Bras dessinés

Écrivez un ou une devant chaque nom.

Pour consacrer leur amitié, Astérix et Obélix se sont fait tatouer _____ astérisque sur le bras droit et _____ obélisque sur le bras gauche.

7. ➤ Chassez cet intrus

Lequel des noms suivants doit être précédé du démonstratif cette au lieu de cet ?

cet autobus, cet avion, cet hélicoptère, cet hélice

8. ➤ Le sexe des mots

Trois des huit noms suivants sont du genre féminin. Lesquels ?

fécule	tentacule
globule	testicule
molécule	ventricule
ovule	vésicule

9. ➤ Rien de plus naturel

Un seul des noms suivants peut compléter la phrase correctement. Lequel ?

agrumes, aromates, épices, vivres

Marie Granola achète toutes les _____ dont elle a besoin chez un marchand d'aliments naturels.

10. ➤ **Guerre et paix**

Trouvez et corrigez l'erreur que contient la déclaration du professeur d'histoire.

« Je vais vous faire un bref historique de la fin de cette guerre, dit Pacifique Drapeau. Aussitôt que l'armistice fut signée, l'amnistie générale des prisonniers fut accordée. »

11. ➤ **Un bon homme**

Choisissez l'expression appropriée.

– Si j'achète cet ordinateur, allez-vous me faire (un bon / une bonne) _____ escompte ? demande le client.
– Oui, si vous me versez (un bon / une bonne) _____ acompte ! répond le vendeur.
Je suis un homme équitable.
– Équitable, c'est (le bon / la bonne) _____ épithète ! dit le client en sortant son portefeuille.

12. ➤ **Malade comme un chien**

Choisissez l'adjectif approprié.

Quand monsieur Guindon s'est levé, il avait
les amygdales (enflés / enflées) _____
et les hémorroïdes (saignants / saignantes) _____.
Son chien, aussi mal en point,
avait les viscères (crevés / crevées) _____.

13. ➤ Rimettes de Noël

À l'aide des indices, trouvez les noms qui complètent les rimettes du poème.

La Mère Noëlle s'est parée de ses plus beaux at_____
Pour magasiner au pôle Nord et dans les al_____.
Pendant qu'elle s'occupe ainsi à faire ses em_____,
Le Père Noël prépare tourtières, cretons et ri_____.
Le soir du 24 décembre, ils attelleront leurs r_____
Et iront livrer aux enfants les plus belles ét_____.

14. ➤ Salut, Félix !

Complétez la phrase en utilisant l'adjectif approprié.

civils, nationales

La foule a chanté l'*Hymne au printemps*
lors des obsèques _____ de Félix Leclerc.

15. ➤ Mots ambisexes

Tous les noms suivants peuvent s'employer indifféremment au masculin ou au féminin, sauf un qui est toujours masculin. Lequel ?

avant-midi   météorite   perce-neige
après-midi   palabres   pétale

16. ➤ Lavoie du peuple

Mettez chaque nom de fonction au féminin.

Madame Lavoie méritait d'être élue (maire)
_____ de la ville. Lorsqu'elle était
(conseiller municipal) _____ , elle savait
parler au nom du peuple.

17. ➤ Une erreur bête

Trouvez et corrigez l'erreur que contient la déclaration de la gardienne du zoo.

« Dans notre zoo, dit Anne Saint-Félicien, tous les animaux vivent en couple : l'ours avec l'ourse, le lapin avec la lapine, le cochon avec la cochonne, le renard avec la renarde et le canard avec la cane. »

18. ➤ Maisons à vendre

Quel féminin (A, B ou C) complète la phrase correctement ?

Madame Cadet-Rousselle a demandé à une _____ de vendre ses trois maisons.

A) agente immobilier
B) agente-immobilière
C) agente immobilière

19. ➤ Le rêve de Charlotte

Mettez chaque mot au féminin.

Charlotte, une jeune (camelot) _____ , rêve de devenir (matelot) _____ . Si elle ne devient pas (manchot) _____ , elle réalisera son rêve.

20. ➤ Conseil d'amie

Lequel des féminins suivants (A, B ou C) complète la phrase correctement ?

Je vais consulter une _____ .

A) avocate-conseil
B) linguiste conseille
C) expert-conseil

21. ➤ Nouvelles joueuses

Comment appelle-t-on une fille ou une femme qui joue :

A) au hockey? une h _____

B) au basket-ball? une b _____

C) au volley-ball? une v _____

D) au football? une f _____

22. ➤ En bonne et due forme

Trois des noms suivants forment leur féminin selon la règle générale (ajout d'un e). Trouvez ces noms et mettez-les au féminin.

commis   écrivain   marin   soldat

consul   mannequin   médecin   substitut

23. ➤ Plume-pudding

Deux des quatre féminins suivants (A, B, C, D) peuvent compléter la phrase correctement. Lesquels?

La rôtisserie Sainte-Huberte a engagé une _____ pour préparer ses nouveaux desserts au poulet.

A) apprentie-cuisinier   C) chef cuisinière

B) apprentie cuisinière   D) chèfe-cuisinière

24. ➤ Le choix de Sophie

Sophie a choisi un métier dont le féminin se termine par -eure. Lequel des métiers suivants a-t-elle choisi?

annonceur   cascadeur   ingénieur

camionneur   chauffeur   programmeur

25. ➤ Une femme de métiers

Trouvez et corrigez l'erreur que contient la déclaration de l'orienteuse.

« Avant d'être orienteuse, dit Carmen Diego, j'ai été dompteuse de lions, arpenteuse-géomètre, sculpteuse et enquêteuse de police. »

26. ➤ Une femme-orchestre

À l'aide des indices, trouvez le nom de métier et mettez-le au féminin.

Pauline Julien a écrit, composé et interprété de magnifiques chansons. Elle fut une grande
_____ .

27. ➤ La reine de la politique

Mettez chaque nom de fonction au féminin.

Jeanne Sauvé a défendu les droits de la femme, que ce soit comme (député) _____ , comme (sénateur) _____ ou comme (gouverneur général) _____ .

28. ➤ Nouvelles diplômées

Comment appelle-t-on l'étudiante qui a obtenu l'un des diplômes suivants ?

A) un baccalauréat une _____
B) une licence une _____
C) une maîtrise une _____
D) un doctorat une _____

29. ➤ Une femme sage

Trouvez et corrigez l'erreur que contient la déclaration de la vétérinaire.

« Hier, dit la docteure Dolittle, j'ai aidé une ânesse, une chamelle, une lapine et une lièvre à mettre leur unique petit ou leurs nombreux petits au monde ! »

30. ➤ Soyez la bienvenue

Quel ensemble de mots (A, B ou C) complète la phrase correctement ?

La _____ de la ville est d'origine _____ .

A) syndique, micmaque
B) syndicque, grecque
C) syndic, turc

31. ➤ Hausse de loyer en mars (HLM)

Mettez chaque mot au pluriel.

Le propriétaire de l'immeuble fera connaître les coûts (total) _____ des (travail) _____ de rénovation avant la signature des (bail) _____ .

32. ➤ Boulot noir !

Mettez chaque mot au pluriel.

Après avoir posé des (pneu radial) _____ toute la journée, les deux mécaniciens ont constaté que leurs (sarrau) _____ n'étaient plus (bleu) _____ .

33. ➤ Les petits soleils de Marie-Soleil

Trouvez et corrigez l'erreur que contient la déclaration de la gardienne.

« J'adore mes dix petits bouts de chou, dit Marie-Soleil. Tous sont mes chouchoux et ils me sont aussi précieux que des bijoux. »

34. ➤ Bonhomme Carnaval et Bonhomme Festival

Complétez le texte en mettant le mot bonhomme *au pluriel.*

Les enfants ont fait deux _____ de neige dont les airs _____ font sourire les passants.

35. ➤ Mots hors rails

Deux des huit noms suivants n'ont pas de pluriel. Lesquels ?

attirail   bétail   gouvernail   portail
bercail   éventail   mail   sérail

36. ➤ Pa'ole d'honneu'

Quel ensemble de mots (A, B ou C) complète la phrase correctement ?

Durant la Révolution française, certaines personnes _____ avaient formé une société _____ , « Les Incoyables », où l'on s'amusait à ne pas prononcer les *r*.

A) snob, select
B) snobes, sélect
C) snobs, sélecte

37. ➤ **Grand-mère Françoise**

Mettez chaque nom composé au pluriel.

Françoise Larivière dirige l'Association des
(grand-mère) _____ et des (grand-père)
_____ de la ville de Grand-Mère. Elle fait
la fierté des (Grand-Méroise) _____
et des (Grand-Mérois) _____ de tous âges.

38. ➤ **Petit monde**

Mettez chaque nom composé au pluriel.

Les (petit-bourgeois) _____
et les (petite-bourgeoise) _____ interdisent
à leurs (tout-petit) _____ de fréquenter
les (gagne-petit) _____ .

39. ➤ **Cric ! crac ! croc !**

*Trouvez et corrigez l'erreur que contient la déclaration
du croque-mort.*

« Chaque matin, dit Frank Einstein, je mange des
croque-monsieur ou des croques-madames, les deux
mets préférés des croque-morts ! »

40. ➤ **Mots « frenchisés »**

*Dans lequel des noms composés suivants les deux mots
doivent-ils prendre la marque du pluriel ?*

best-seller	hot-dog	walkie-talkie
disc-jockey	pull-over	week-end

Réponses ⟶ 232

Autoévaluation

1. ➤ *Un seul des noms suivants est du genre masculin. Lequel ?*

astéroïde, atmosphère, comète, orbite

2. ➤ *Quel ensemble de mots (A, B ou C) complète
la phrase correctement ?*

Le touriste fit _____ esclandre parce qu'on
n'avait pu lui servir ses céréales _____ .

A) un, préférés
B) un, préférées
C) une, préférés

3. ➤ *Un seul des noms suivants est du genre féminin. Lequel ?*

entracte, entrevue, interlude, intermède

4. ➤ *Trouvez et corrigez l'erreur que contient la déclaration
du boxeur.*

« Au 9ᵉ round, dit Jos Bleau, j'avais le visage couvert
de bleus et une oreille presque arrachée. Alors, j'ai
demandé à l'arbitre si je pouvais prendre un aspirine. »

5. ➤ *Quel ensemble de mots (A, B ou C) complète la phrase
correctement ?*

Ces personnes âgées ont reçu la visite d'une _____ ,
qui leur a donné _____ l'aide dont elles avaient
besoin.

A) aide sociale, toute
B) aide social, toute
C) aide-sociale, tout

6. ➤ *Trouvez et corrigez l'erreur que contient la déclaration du beau-père.*

« Depuis qu'elle porte un manteau de vison, ma brue roucoule comme une pigeonne et se pavane comme une paonne ! »

7. ➤ *Mettez chaque nom en italique au féminin.*

La *juré* s'est dite fort impressionnée par les arguments de la *procureur* de la Couronne.

8. ➤ *Quel ensemble de mots (A, B ou C) complète la phrase correctement ?*

La directrice des archives _____ est secondée dans son travail par deux excellentes _____ .

A) médicals, archivistes-conseilles
B) médicales, archivistes-conseils
C) médicaux, archivistes conseils

9. ➤ *Trouvez et corrigez l'erreur que contient la déclaration de Philomène.*

« Je suis amateure de bandes dessinées, dit Philomène. Je rêve d'être un jour éditrice de best-sellers en ce domaine. »

10. ➤ *Mettez les mots en italique au pluriel et au genre approprié.*

On craint que les mesures visant à améliorer la situation des *Franco-Ontarien* ne soient reportées aux calendes *grec*.

Réponses ▶ 232

Autorelaxation

Les Chèvres de Mme Séguin

Grâce à son personnel alerte et compétent, le bureau de recrutement
Les Chèvres de M ^me^ Séguin broute jour et nuit dans les pâturages du monde
du travail afin de procurer des emplois lucratifs aux chercheuses et aux
chercheurs d'emploi.

   Trouvez le nom de chacun des emplois que vous offrent aujourd'hui
Les Chèvres de M ^me^ Séguin. Si l'un de ces emplois vous intéresse, composez
sans délai le numéro 1-800-CHÈVRES et vous l'obtiendrez pour
des broutilles !

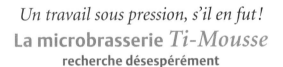

Un travail sous pression, s'il en fut !
La microbrasserie *Ti-Mousse*
recherche désespérément

un m_____ b_____ *ou* une m_____ b_____

pour trouver la recette de la bière philosophale, qu'elle désire commercialiser.

Exigences
- Aimer se faire tirer les « verres » du nez.
- Connaître tous les secrets des blondes, des brunes et des rousses.
- Être capable de jouer des coudes sans lever le coude.

Salaire
- 1 %, en argent liquide, des recettes de *Ti-Mousse*
  (si la fameuse recette est trouvée).
- Avantage social : ambiance de travail stimulante
  (« musak » de chansons à boire).

Un lieu bourdonnant d'activité !

La compagnie *Pur Nectar*
recherche

un a_____ *ou* une a_____

pour faire l'élevage des abeilles qui butinent dans la région.

Exigences
- Avoir une taille de guêpe.
- Ne pas avoir peur des ours.
- Expérience du « showbizzz », un atout.

Salaire
- 0,000001 $ par abeille au travail.
- Une lune de miel par année,
  toutes dépenses payées.

Un emploi « étripant » !

La clinique *Dr Bel-Art*
recherche

un e_____ *ou* une e_____

pour naturaliser les animaux et en laisser un souvenir presque
vivant à leurs ex-propriétaires.

Exigences
- Se sentir bien dans sa peau.
- Être solide sur ses pattes
  (le travail commence au chant du coq et se
  termine entre chien et loup).
- Poules mouillées, s'abstenir.

Salaire
- À l'employé de la semaine seulement
  (salaire tiré à la courte paille entre les quatre employés).
- Possibilité de 1000 $ par semaine.

Un défi de taille!
L'agence d'amaigrissement *Montipois*
recherche avidement

un d_____-c_____ *ou* une d_____-c_____

pour aider notre clientèle et notre agence à tirer profit de ses conseils.

Exigences
- Avoir le physique de l'emploi (être plus grand que large, de corps et d'esprit).
- Avoir une connaissance approfondie de la technique « Je maigris sans m'aigrir ».
- Savoir utiliser des arguments de poids pour conserver la crème de notre clientèle.

Salaire
- 1 $ / 10 kg de graisse perdue par client (durant notre exercice financier).
- Possibilité de revenus additionnels (vente des produits culturels ou alimentaires de l'agence *Montipois*).
- Un panier rempli de produits *Montipois*, le jour du Mardi gras.

CHAPITRE 2

Les accords

Réponses ➠ 233-237

Autocorrection

1. ➤ Nager dans le bonheur

Accordez correctement chaque adjectif en italique.

Ému, la jeune athlète reçoit sa médaille d'or
en esquissant un sourire *empreint* de fierté.
Le succès de la nageuse est amplement *mérité* .

2. ➤ Élémentaire, mon cher Watson !

*Trouvez et corrigez l'erreur que contient la déclaration
du détective.*

« Selon le journal *Portrait-Robot*, le criminel que j'ai
arrêté était des plus intelligents, dit Sherlock Holmes.
Cela est des plus flatteurs pour mon intelligence ! »

3. ➤ Œil au beurre noir ou à la margarine noire ?

Accordez correctement chaque adjectif en italique.

Les producteurs laitiers trouvent un peu *mou*
la position du gouvernement en ce qui concerne
la coloration de la margarine. Ils exigent que
le gouvernement rende *public* les recommandations
de son rapport sur le sujet.

4. ➤ Baguettes en l'air

Accordez correctement chaque adjectif en italique.
Si deux accords sont possibles pour un adjectif, donnez-les.

Les majorettes avaient l'air *heureux* de participer
au défilé de la Saint-Jean. Quant aux cadets de l'air,
ils avaient l'air *détendu* des soldats en permission.

5. ➤ Auprès de ma blonde

Lesquels des mots suivants (A, B, C, D) peuvent compléter la phrase correctement ?

Ma blonde a les cheveux _____ .

A) châtains   C) blond châtain
B) châtaignes   D) blonds pâles

6. ➤ L'entraîneur du Tricolore

Trouvez et corrigez les trois erreurs que contient la déclaration de l'entraîneur. Ne vérifiez que les mots en italique.

« Quand j'ai vu que nos partisans étaient chauffés à *blanc*, dit Toe Black, j'ai fouetté l'ardeur de mes joueurs, qui sont devenus tout *rouges* tellement ils voyaient *rouges* ! Ils ont trimé si *dur* qu'ils se sont classés *bon* premiers et ont gagné la coupe Stanley. Je vous dis que les commentateurs sportifs ont ri *jaunes* ! »

7. ➤ Bouquet spirituel

Accordez le mot frais *correctement.*

Julie est *frais* émoulue de l'université. Pour souligner cet événement, Jules lui a donné un bouquet de pensées *frais* écloses.

8. ➤ César et Cléopâtre ?

Quel ensemble de mots (A, B ou C) complète la phrase correctement ?

Quels noms les _____ ont-ils donnés
à leurs deux _____ ?

A) nouveaux mariés, nouveau-nés
B) nouveau mariés, nouveau nés
C) nouveaux-mariés, nouveaux-nés

9. ➤ Épreuve de force

Trouvez et corrigez l'erreur que contient la déclaration du lutteur.

«Jos Montferrand et Louis Cyr étaient fort célèbres autrefois, dit Jos-Louis Vachon. Ces deux célèbres hommes forts ont accompli des exploits fort impressionnants. Ah ! si je pouvais les serrer bien forts dans mes bras ! »

10. ➤ Le salut à tout prix

Complétez le texte en utilisant l'un des deux mots suivants et faites l'accord, s'il y a lieu.

convaincant, convainquant

Les gourous savent utiliser des arguments _____
pour gagner la faveur de leurs disciples. Les gourous gagnent la faveur de leurs disciples en les _____ que leur âme doit être sauvée à tout prix.

11. ➤ **De 9,99 $ à 999,99 $**

Complétez le texte en utilisant le mot standard *et accordez-
le correctement.*

Les produits de l'entreprise Québec 999 inc. respectent
les plus hauts _____ de qualité. Ils sont vendus
à des prix _____ , mais toujours compétitifs.

12. ➤ **Vacherie**

Accordez correctement chaque mot en italique.

Les coureurs *automobile* et les voitures *sport* sont
respectivement les vaches sacrées et les veaux d'or
de la société de consommation.

13. ➤ **Jeu de sociétés distinctes**

Choisissez le verbe qui convient.

« Mes parents et moi (jouent / jouons) _____
souvent au Docte Rat, dit Marianne. Nicolas,
est-ce que tes parents et toi (accepteraient /
accepteriez) _____ de jouer une partie
avec nous ? Tes parents, les miens et nous deux
(pourraient / pourrions) _____
ainsi former trois équipes distinctes. »

14. ➤ Telle mère, tel fils

Quel ensemble de verbes (A, B ou C) complète la phrase correctement ?

Martin, ainsi que sa mère, _____ jouer
à la canasta. Cependant, Martin ainsi que sa mère
_____ perdre à la canasta.

A) adore, déteste
B) adorent, déteste
C) adore, détestent

15. ➤ Histoire de Mouchette

*Le texte suivant contient un participe passé mal accordé.
Trouvez-le et corrigez-le.*

« Hier, j'ai pêché trois truites, dit Mouchette.
La première, je l'ai attrapée à la mouche. La deuxième
a mangé le ver accroché à ma petite cuiller. Quant à la
troisième, elle a été tout simplement pris à l'épuisette
selon la technique Mouchette. »

16. ➤ Auto-suggestion

Choisissez la terminaison du participe passé qui convient.

« L'autre jour, mon papa m'a pos_____ (é / ée)
une question qui m'a étonn_____ (é / ée),
dit Émilie. Il m'a demand_____ (é / ée)
quel cadeau je voulais avoir pour mon seizième
anniversaire. Alors, je lui ai répond_____ (u / ue)
sans hésiter : « Une auto ! » Ma réponse l'a
complètement dérout _____ é / ée) ... »

17. ➤ Club 333

*Complétez le texte en utilisant le participe passé du verbe
louer, dûment accordé.*

Combien de cassettes les enfants ont-ils _____
au club vidéo ? Ils en ont _____ trois pour
seulement trois dollars, pour une période
de trois jours.

18. ➤ Marché aux puces malades

*Complétez le texte en utilisant le participe passé du verbe
vendre, dûment accordé.*

Les chaussettes de golf que le marchand a _____
à Gaston avaient neuf trous chacune. Les deux
chandails de baseball qu'il lui a _____ avaient
neuf manches chacun.

19. ➤ **Romans de « haute Cousture »**

Quel ensemble de participes passés (A, B ou C) complète les phrases correctement ?

Quels romans d'Arlette Cousture
avez-vous _____ ? Lequel de ses romans
avez-vous _____ ?

A) lu, préféré
B) lus, préférés
C) lus, préféré

20. ➤ **Faits d'hiver**

Choisissez le participe passé qui convient.

Durant les deux jours qu'il a (neigé / neigés)
_____ , les enfants ont fait des sculptures
de neige. Durant les grands froids qu'il a (fait / faits)
_____ , ils ont construit un château de glace.
Il est ensuite (tombé / tombée) _____
de la pluie. Après les fortes pluies qu'il y a (eu / eues)
_____ , ils ont mangé de la fondue !

21. ➤ **Bien faire sans laisser faire**

Complétez le texte en utilisant le participe passé du verbe laisser, dûment accordé.

« Nos enfants, nous les avons _____ grandir
en toute liberté, dit le couple Rousseau, mais nous
ne les avons pas _____ faire tout ce qu'ils
voulaient. Héloïse et Émile se sont souvent _____
punir quand ils se savaient fautifs. »

22. ➤ Nouvelle histoire de Mouchette

Le texte suivant contient un participe passé mal accordé.
Trouvez-le et corrigez-le.

« Hier, j'ai pêché trois superbes brochets, dit
Mouchette. Après les avoir éviscérés, je les ai fait
rôtir dans la poêle, selon la recette Mouchette,
puis je les ai faits goûter à ma brochette d'invités. »

23. ➤ Salut scout

Quel ensemble de participes passés (A, B ou C) complète
la phrase correctement ?

Les scouts se sont _____ la main,
puis ils se sont _____ de la main
en chantant « Ce n'est qu'un au revoir, mes frères ».

A) donnés, salués
B) donné, salués
C) donnés, salué

24. ➤ À la mairie, le maire rit

Choisissez le participe passé qui convient.

Les journalistes se sont (moqué / moqués) _____
du maire sortant. Les caricaturistes se sont (ri / ris)
_____ de lui. Même si tous se sont (plu / plus)
_____ à le ridiculiser, le maire sortant a été réélu.

25. ➤ **Vagues souvenirs**

Lesquels des participes passés suivants (A, B, C, D) peuvent compléter la phrase correctement ?

Lorsque l'on revient de vacances au bord de la mer, on a l'impression que les journées se sont _____ comme dans un rêve.

A) écoulé   C) succédé
B) déroulés   D) passées

26. ➤ **Problème vi$uel**

Complétez le texte en utilisant le participe passé du verbe mettre, *dûment accordé.*

« _____ à part la difficulté à distinguer la lettre s du symbole de dollar, la vue d'Oncle Sam semble tout à fait normale, dit l'optométriste. Cette difficulté _____ à part, sa vue semble tout à fait normale. »

27. ➤ **Roulettes « rustres »**

Trouvez et corrigez les deux erreurs que contient la déclaration de la patineuse.

« Hier, j'ai tombé en faisant du patin à roulettes, dit Violette. J'ai brisé mes lunettes et je me suis cassé une dent, mais je ne me suis pas faite mal. »

28. ➤ **Félix ou Fido ?**

Choisissez le verbe qui convient.

En ville, la plupart du monde (possède / possèdent) _____ un animal domestique. La plupart des citadins (possède / possèdent) _____ un chat ou un chien.

29. ➤ **La grève, sinon on crève**

Choisissez le verbe qui convient.

« La plupart d'entre nous (sommes / sont) _____ favorables à la grève, dit le chef syndical. Est-ce que certains d'entre vous (avez / ont) _____ des questions à poser avant que l'on procède au vote ? »

30. ➤ **Tu laves, donc j'essuie**

Le texte suivant contient deux verbes mal accordés. Trouvez-les et corrigez-les.

Guy dit à sa sœur Yvette : « C'est moi qui laverai la vaisselle et c'est toi qui l'essuiera. C'est moi qui suis le plus vieux, donc c'est moi qui prend les décisions importantes. »

31. ➤ Roues de fortune

Écrivez chaque nombre en toutes lettres.

Gino Camaro a acheté une voiture d'occasion pour la modique somme de (200) _____ dollars. Les frais d'immatriculation et d'assurance se sont élevés à (250) _____ dollars. Un mois plus tard, Gino a vendu son auto (80) _____ dollars à un marchand de ferraille. Si on inclut le coût de l'essence, Gino a payé environ (100) _____ dollars par roue pour rouler pendant un mois !

32. ➤ De Charlemagne à René

Lesquels des nombres suivants (A, B, C, D) complètent la phrase correctement ?

Une semaine après sa parution, la biographie non autorisée de Céline s'était déjà vendue à _____ exemplaires.

A) quatre-vingt mille   C) deux cents milles
B) quatre-vingts milles   D) deux cent mille

33. ➤ Recette infaillible

Lesquels des nombres suivants (A, B, C, D) complètent la phrase correctement ?

Selon des sources fiables, les recettes du film *Les Titans sauvent le Titanic* s'élèveraient à _____ de dollars.

A) quatre-vingt milliers   C) deux cents millions
B) quatre-vingts milliers   D) deux cent millions

34. ➤ Les filles ont soif !

Accordez, s'il y a lieu, l'adverbe tout *dans le texte suivant.*

En 1934, les Canadiens furent *tout* surpris d'apprendre que Mme Dionne avait mis cinq jumelles au monde. La vie des parents fut *tout* bouleversée par l'arrivée inattendue de cinq filles *tout* joufflues et *tout* assoiffées !

35. ➤ Une ID en 3D

Choisissez le mot qui convient.

« Le casse-tête 3-D, c'est quelque chose de simple et d'(original / originale) _____ , dit son inventeur, M. Gallant. Personne n'est mieux (placé / placée) _____ que moi pour affirmer que créer, c'est trouver une idée et lui donner les dimensions qu'elle mérite ! »

36. ➤ Invitation royale

Laquelle des expressions suivantes (A, B, C ou D) complète la phrase correctement ?

« Tous les _____ , le roi, sa femme et son petit prince sont venus chez moi pour m'inviter au bal organisé dans leur château », dit Cendrillon.

A) lundi matin   c) vendredi soirs
B) mardis matins   d) samedis soir

37. ➤ Débat postélectoral

Trouvez et corrigez l'erreur que contient le texte suivant.

– Fini les référendums perdants ! Vive les référendums gagnants ! s'exclame le chef du nouveau gouvernement.
– Le gouvernement l'a échappé belle, lui réplique le chef de l'opposition. Notre parti a belle et bien l'intention d'attaquer le gouvernement sur tous les fronts !

38. ➤ Péché capital

Complétez le texte en utilisant le mot plein, *dûment accordé.*

Harpagon avait de l'argent _____ les poches. Séraphin cachait des sacs _____ d'or dans son grenier. Molière et Claude-Henri Grignon en avaient _____ le dos des avaricieux.

39. ➤ Courrier du cœur

Trouvez et corrigez l'erreur que contient la lettre de Valentine.

«Cher Cupidon. Lorsque je vis un doux amour, je goûte au pur délice de l'amour. Lorsque je vis des amours passionnées, je goûte aux délices infinis de l'amour. Suis-je normale? Valentine.»

40. ➤ Les pinces de M. Écrevisse

M. Écrevisse a volontairement commis deux fautes dans son texte. Trouvez-les et corrigez-les.

J'ai fait le plus d'efforts possibles pour écrire sans fautes. Si j'avais fait tout les efforts possibles, je n'aurais commis aucune faute.

Réponses ⟹ 238

Autoévaluation

1. ➤ *Trouvez et corrigez les deux erreurs que contient le texte suivant.*

La course à la voile Sydney-Hobart s'est achevée sur une note des plus sombre : quatre morts et deux membres d'équipage portés disparu.

2. ➤ *Quel ensemble de mots (A, B ou C) complète les phrases correctement ?*

Après avoir posé la pancarte « Attention, clôture _____ peinte », Ronald est rentré en courant. La pluie tombait _____ !

A) frais, dru
B) fraîche, drue
C) fraîche, dru

3. ➤ *Un seul des mots ou groupes de mots suivants (A à F) complète la phrase correctement. Lequel ?*

Le clown Guy Mauve portait un collant et des vêtements _____ .

A) pourpres   D) bleus pourpres
B) azurs   E) bleue nuit
C) indigos   F) bleus poudre

4. ➤ *Complétez la phrase en utilisant un des deux verbes suivants.*

dévore, dévorent

Karine, de même que Valérie, _____ les romans de science-fiction.

5. ➤ *Quel ensemble de participes passés (A, B ou C) complète les phrases correctement?*

« Le concessionnaire m'a _____ que les sacs gonflables de ma voiture étaient défectueux, dit Mᵐᵉ Pomerleau. Cette nouvelle m'a _____ les nerfs en boule ! »

A) informé, mise
B) informée, mis
C) informée, mise

6. ➤ *Complétez le texte en utilisant l'un ou l'autre des nombres suivants.*

quatre-vingt, quatre-vingts

Ce lanceur de baseball gagne _____ mille dollars par partie. S'il lance _____ balles durant une partie, il gagne mille dollars par balle lancée !

7. ➤ *Trouvez et corrigez l'erreur que contient le texte suivant.*

« Hier, maman et moi avons aperçu une belle biche près du chalet, dit Alexandra. Elle s'est approchée de nous et s'est même laissée flatter. C'est à regret que nous l'avons laissée partir. »

8. ➤ *Quel ensemble de mots (A, B ou C) complète les phrases correctement?*

Tous les _____ , les gens de Saint-Dilon se réunissent pour danser. La musique est si entraînante qu'ils ont l'impression que leurs jambes dansent _____ seules !

A) samedis soir, toutes
B) samedis soirs, tous
C) samedi soirs, tout

9. ➤ *Vérifiez l'accord du participe passé du verbe* avoir *et faites, s'il y a lieu, la correction qui s'impose.*

– Grand-maman, combien d'enfants avez-vous *eus* ?
– J'en ai *eus* quinze et je les ai tous *eus* à la maison !
– Quelle chance ils ont *eu* de naître chez vous, grand-maman !

10. ➤ *Trouvez et corrigez les deux erreurs que contient le texte suivant.*

Ginette et Bernard se sont rencontrés, se sont parlé, se sont souri, se sont plus, se sont aimés, se sont mariés en souriant et ont eu deux enfants tout souriant !

Réponses ⟫→ 238

Le Petit Épinal

M. Jean-Charles d'Épinal a créé un petit dictionnaire illustré des expressions populaires qu'il trouve particulièrement suggestives.

Pour vous aider à y voir clair, M. d'Épinal vous présente six images extraites de son *Petit Épinal*. Chacune de ces images illustre une expression dans laquelle un adjectif est employé comme adverbe.

À l'aide des indices, trouvez l'expression populaire que chaque image de M. d'Épinal vise à illustrer.

Quel goinfre ! Il a a_____

t_____ r_____

six hot-dogs relish, moutarde,

oignons en six minutes !

Quels propos bêtes et méchants !

Je vous dis que les couteaux

v_____ b_____ !

Je ne mens pas, monsieur le juge,

c'est la v_____ t_____ n_____ !

Vous t_____ j_____. On avait justement besoin de vous !

Depuis les déboires qu'ils ont connus, je vous dis qu'ils
n'en m_____ pas l_____ !

Tope là ! Les Canadiens l'ont e_____ h_____ !

CHAPITRE 3

La conjugaison

Réponses ➠➔ 239-243

Autocorrection

1. ➤ Il était une fois dans l'Ouest

Trouvez et corrigez l'erreur que contient la déclaration du cow-boy.

« J'haïs Lucky Luke, dit Joe Dalton. À cause de lui, ma tête ne vaut qu'une poignée de dollars. Si je le descends, elle vaudra bien quelques dollars de plus ! »

2. ➤ Décibels d'hélicoptère ?

Mettez chaque verbe à l'indicatif présent et à la personne qui convient.

Je (craindre) _____ que ma ligne téléphonique ne soit défectueuse. J' (entendre) _____ un étrange grésillement qui, par moments, (atteindre) _____ plusieurs décibels.

3. ➤ Coup de « d »

Lequel des huit verbes suivants ne garde pas le d de son radical aux trois personnes du singulier de l'indicatif présent ?

apprendre	joindre	perdre	répandre
coudre	mordre	pondre	vendre

4. ➤ La pensée de Pascal

Mettez chaque verbe à la 3ᵉ personne du singulier de l'indicatif présent.

« La raison (résoudre) _____ les problèmes de l'être humain, et le cœur (absoudre) _____ ses fautes, dit le philosophe Jules Pascal à ses élèves. Est-ce que ma pensée d'aujourd'hui vous (convaincre) _____ de la profondeur de l'être humain ? »

5. ➤ Je me marie, je ne me marie pas

Mettez chaque verbe à l'indicatif présent et à la personne qui convient.

– Si je (rompre) _____ mes fiançailles, dit
Marguerite, je (mettre) _____ tout de suite
ma robe de mariée en vente.

– Tu (admettre) _____ ainsi que tu as peur
de revenir sur ta décision, dit sa mère.

– Je l' (admettre) _____ volontiers. Quand
je pense à Réjean, mon cœur (battre) _____
à se rompre. Mais je ne (combattre) _____
plus le destin, je le laisse décider pour moi...

6. ➤ Bouillon de colère

Trouvez et corrigez l'erreur du chef cuisinier.

« Je me fous de la réaction des gens de mon entourage,
dit Olivier Presto. Quand ma marmite bouille,
j'explose ! »

7. ➤ Louis « Ti-Lou » Dubois

Quel ensemble de verbes complète les phrases correctement ?

« Aujourd'hui, vous affirmez que vous _____
la vérité, dit le juge au témoin délateur. Pourtant,
vous _____ votre témoignage d'hier. »

A) disez, contredites

B) dites, contredites

C) dites, contredisez

8. ➤ Nul n'est parfait

Quel ensemble de verbes complète les phrases correctement ?

Vous _____ votre possible pour montrer votre savoir-faire. Malheureusement, vous ne _____ pas à toutes nos exigences.

A) faites, satisfaites
B) faisez, satisfaisez
C) faites, satisfaisez

9. ➤ Dodo ou Nintendo ?

Trouvez et corrigez l'erreur que contient la déclaration de la maman.

«Comment! tu joues encore au Nintendo à cette heure-ci! dit la maman à son fils Mario. Allez, fermes la télé, mets-toi au lit, puis dors!»

10. ➤ Le maître et son chien

Complétez le texte en mettant le verbe en italique à la 2ᵉ personne du singulier de l'impératif présent.

Quand tu *offres* à manger à ton chien,
_____ -lui de sains aliments.
Quand tu *vas* le promener, _____
jusqu'au bout du champ.
Si tu veux qu'il *ait* l'air heureux, _____
le sourire en tout temps.
Si tu veux qu'il *soit* propre, _____
assuré qu'une porte ouvre facilement.
Si tu veux qu'il *sache* tout faire, _____
qu'il obéira à tous tes ordres... bêtement !

11. ➤ Chanteur de pommes

Trouvez et corrigez l'erreur que contient le dialogue suivant.

– Ève, mon amour, allons cueillir des pommes
  ensemble. Regarde comme le temps est splendide...
– Non, Adam, vas-y tout seul. J'ai mal à la tête
  aujourd'hui...
– Viens donc, ma chérie.
– Non. Mais si tu vas aux pommes, cueille-s-en
  beaucoup. Je te préparerai ton mets préféré :
  la compote de pommes du paradis !

12. ➤ Dites-le avec des fleurs

Complétez le texte en utilisant le verbe vouloir
à la 2ᵉ personne du singulier de l'impératif présent.

« Ne m'en _____ pas si j'ai oublié ton
anniversaire, dit Roméo à son amie Fleurette.
_____ me pardonner cet oubli. »

13. ➤ Chaise musicale

Lesquels des verbes suivants (A à F) complètent la phrase correctement ?

– Il n'y a plus de place. Où vais-je m'asseoir ?
– _____ -toi par terre !

A) asseois   C) assoie   E) assieds
B) assois   D) assis   F) assied

14. ➤ Affaire loupée

Quel ensemble de verbes (A, B ou C) complète la phrase correctement ?

« Pour que je _____ clair dans une affaire,
il faut que j'_____ ma loupe. Trouvez-la ! »,
ordonne l'inspecteur Jobidon à ses assistants.

A) voie, aie
B) vois, aie
C) voie, ais

15. ➤ Conseil à un têtard

*Mettez chaque verbe à la 2ᵉ personne du singulier
du subjonctif présent.*

« Je ne veux pas que tu (courir) _____
de risque inutile, dit un homme-grenouille à son fils.
Je veux que tu (acquérir) _____ un peu
d'expérience avant de plonger en eau profonde. »

16. ➤ Vie et envie de voyage

*Mettez chaque verbe au subjonctif présent et à la personne
qui convient.*

– Je ne pense pas qu'on (avoir) _____
   le temps d'arrêter au *Restaurant du coin*, dit le père.
– De toute façon, il est peu probable que ce
   (être) _____ ouvert. Je doute qu'on
   (servir) _____ à manger à dix heures du soir,
   dit la mère.
– Papa ! maman ! j'ai envie ! Vite ! il faut que j' (aller)
   _____ au petit coin ! dit l'enfant.

17. ➤ La pince de M. Écrevisse

*Trouvez et corrigez l'erreur que M. Écrevisse
a volontairement commise dans son texte.*

Durant son spectacle, le clown souhaite que le public
rie à mort sans qu'il meurt de rire. « Que la vie lui
sourie un bref instant avant que la mort ne l'attrape
subitement ! », dit-il en esquissant son auguste sourire.

18. ➤ Réunion d'affaires

*Mettez chaque verbe à la 1ʳᵉ personne du pluriel
du subjonctif présent.*

Il faut que nous (avoir) _____ le sens
des affaires, disent les hommes d'affaires.
Il faut que nous (voir) _____ à nos affaires,
disent les femmes d'affaires.
Il faut que nous (être) _____ durs en affaires,
disent les gens d'affaires.
Il faut que nous nous (soucier) _____
de notre bien-être et que nous (mettre) _____
fin à cette réunion, car un repas d'affaires nous attend,
dit le président.

19. ➤ Promenons-nous dans le bois

*Vérifiez si chaque verbe en italique est écrit correctement
et corrigez-le, s'il y a lieu.*

« Je doute que vous *ayiez* déjà rencontré un ours, dit
la monitrice aux campeurs. Si cela vous arrive, où que
vous *soyez*, vous aurez deux choses urgentes à faire :
il faudra que vous *criez* fort et que vous *fuyez*
à toutes jambes ! »

20. ➤ Génération X contre génération Y

*Mettez les deux verbes à la 3ᵉ personne du pluriel
du subjonctif présent.*

De passage à Montréal, le psychanalyste Carl Young
a déclaré : « Il est normal que les adolescents (vouloir)
_____ se libérer de l'emprise de leurs parents,
mais il est anormal qu'ils le (faire) _____
en se les mettant à dos ! »

21. ➤ Repas d'affaires

*Mettez chaque verbe à la 1ʳᵉ personne du pluriel
de l'indicatif imparfait.*

Si nous (brasser) _____ de meilleures affaires,
nous mangerions dans de meilleurs restaurants,
disent les hommes d'affaires.
Si nous (voir) _____ mieux à nos affaires,
nos recettes seraient meilleures,
disent les femmes d'affaires.
Si nous nous (soucier) _____ constamment
de notre chiffre d'affaires, nous perdrions l'appétit,
concluent les gens d'affaires.

22. ➤ Français 101

Quel ensemble de verbes à l'imparfait (A, B ou C) complète la phrase correctement ?

« Si vous _____ votre langage et si vous _____ les mots justes, vous prouveriez que votre langue vous tient à cœur », dit le professeur de français à ses élèves.

A) surveillez, employiez
B) surveilliez, employez
C) surveilliez, employiez

23. ➤ Vrai ou faux filet ?

Trouvez et corrigez l'erreur que contient la déclaration de l'apprenti funambule.

« Si je fesais partie d'un cirque, je serais funambule, dit Gudule. Je marcherais sur la corde raide, je ferais volontairement un faux pas et je tomberais dans le filet ! »

24. ➤ Avec un crayon ou à l'ordinateur ?

Mettez chaque verbe à l'indicatif futur simple et à la personne qui convient.

« Tu me (copier) _____ cent fois : "Je ne (jouer) _____ plus de tours à mes camarades de classe et je ne les (ennuyer) _____ plus jamais avec mes blagues de mauvais goût" », dit l'enseignant à un élève dissipé.

25. ➤ **Le jour V**

*Trouvez et corrigez les deux erreurs que contient
la déclaration du chef de parti.*

« Si le Parti vert était porté au pouvoir, dit David
Greenwood, il nettoierait tous les sols contaminés
et créerait à leur place de magnifiques espaces verts.
Notre ambitieux programme incluerait l'adoption
de la langue verte comme langue nationale. »

26. ➤ **Fin des stridulations**

*Lesquels des verbes suivants (A à F) peuvent compléter
la phrase correctement ?*

Que fit la cigale après _____ tout l'été ?

A) avoir voyager   D) s'être promener
B) avoir dansée   E) s'être amusée
C) avoir chanté   F) s'être diverti

27. ➤ **Un cadeau de Blanche-Neige ?**

*Quel ensemble de verbes (A, B ou C) complète les phrases
correctement ?*

La neige _____ , les skieurs peuvent enfin
pratiquer leur sport favori. Les skieurs _____
les pentes, les propriétaires des stations de ski
remercient Dame Nature.

A) ayant tombé, ayant envahi
B) étant tombée, ayant envahi
C) étant tombée, ayant envahis

28. ➤ Rumeur massacrante

Dans le texte suivant, les trois verbes en italique sont à l'indicatif passé simple. Mettez-les au passé composé.

Je *dis* à mon amie : « J'ai tout fait. » Elle *comprit* que j'étouffais, et la rumeur *courut* que je suffoquais !

29. ➤ Vouloir, c'est pouvoir

Dans le texte suivant, les quatre verbes en italique sont à l'indicatif passé composé. Mettez-les au passé simple.

Toute ta vie, tu *as fait* ce que tu *as pu* et tu *as réussi* ce que tu *as voulu.*

30. ➤ Un amour de Brûlot

Trouvez et corrigez les trois erreurs que contient la lettre de Charlot.

« Chers parents. Pardonnez-moi si je ne vous écris pas souvent. Si j'avais écris plus souvent, j'aurais fait plus de fautes, et ma sœur aurait rit de moi. Tâchez de passez de belles vacances sans moi. De votre fils Charlot, chef des Brûlots, qui vous embrasse bien fort. »

31. ➤ Danger dans *-ger*

Tous les verbes en -ger suivants sont écrits correctement, sauf un. Lequel ?

je nageais	il changa
nous songeons	vous corrigiez
tu plongeas	elle bougeait
nous gagions	en mangeant

32. ➤ **Le cadet des Soucy**

Trouvez le verbe qui ne doit pas prendre de cédille sous le c dans le texte suivant.

En fronçant les sourcils, M. Soucy dit au cadet de ses garçons : « François, nous avons reçu ton dernier bulletin. Sache que tes résultats nous déçoivent beaucoup, ta mère et moi. Quand commenceras-tu à prendre tes études au sérieux ? »

33. ➤ **La sorcière mal-aimée**

Quel ensemble de verbes (A, B ou C) complète la phrase correctement ?

Dans les contes pour enfants, il y a toujours une sorcière qui _____ les enfants et qui les _____ avec une potion maléfique.

A) harcèle, ensorcelle
B) harcelle, ensorcèle
C) harcèle, ensorcèle

34. ➤ **L'appel du voisin**

Trouvez et corrigez les deux erreurs que contient le texte suivant.

Après chaque bordée de neige, M. Pelletier pelte l'entrée de sa maison en haletant comme s'il allait rendre son dernier souffle. Son voisin, M. Toro, lui jette alors un regard narquois qui a l'air de dire : « Fais donc comme moi, achette une souffleuse ! »

35. ➤ La prospérité « à coût sûr »

Vérifiez si chaque verbe en italique doit s'écrire avec un accent aigu ou un accent grave et faites, s'il y a lieu, la correction qui s'impose.

« Le gouvernement doit *gérer* l'État comme s'il *gèrait* une entreprise, dit le chef d'entreprise Prosper Gropivo. Cette saine gestion *règlera* nos problèmes économiques, et la prospérité *règnera* dans notre pays. »

36. ➤ Les badinages de l'amour

Vérifiez si chaque verbe en italique prend un accent circonflexe sur la lettre i et faites, s'il y a lieu, la correction qui s'impose.

– Pâquerette, cela fait déjà cinq ans que je vous *connais*.
– Depuis le temps qu'on se *connait*, on pourrait se tutoyer. S'il te *plaît*, Benoît...
– Cela me *plairait*, mais je préfère attendre de vous *connaître* davantage.
– Cela me *parait* sage mais, lorsque vous me *connaitrez* davantage, saurez-vous mieux distinguer l'amour et le badinage ?

37. ➤ Passé simple ou compliqué ?

Un seul des verbes suivants ne prend pas d'accent circonflexe dans les terminaisons de la 1re et de la 2e personne du pluriel de l'indicatif passé simple. Lequel ?

nous mangeâmes   vous dévorâtes
nous reçûmes   vous voulûtes
nous haîmes   vous vous enfuîtes

38. ➤ La pince de M. Écrevisse

*Trouvez et corrigez l'erreur que M. Écrevisse
a volontairement commise dans son texte.*

Au Québec, 6 % des personnes de plus de 16 ans
avouent ne pas savoir lire. On reproche au système
d'éducation de ne pas avoir su apprendre à lire à tous
ces gens.

39. ➤ Les quatre ou les huit fers en l'air ?

Complétez le texte en mettant le verbe tomba *à la forme
interrogative affirmative, puis à la forme interrogative
négative avec l'expression* ne... pas.

Quand le cheval de Thomas *tomba*, Thomas
_____ ou _____ ?

40. ➤ À bon chien, bon chat

*Vérifiez si chaque expression en italique est écrite
correctement et faites, s'il y a lieu, la correction
qui s'impose.*

– Ton chien *mord-t-il* ? demande Suzanne à François.
– Non, Jappy jappe, mais ne mord pas, lui *répond-il*.
– Moi, j'ai un chat qui s'appelle Mordillo, le *reprent-
elle*. Il miaule, mais ne mord pas. Cela te *convaint-il* ?

Réponses ⟶ 244

1. ➤ *Trouvez et corrigez les deux erreurs que contient le dialogue suivant.*

– Abel, je t'haïs, tu m'entends !
– Je le sais, Caïn, mais je ne te crainds pas. J'entends bien un jour ramollir ton cœur de pierre !

2. ➤ *Complétez la phrase en mettant le verbe* atteindre *à la 3ᵉ personne du singulier de l'indicatif présent.*

La pluie de vos injures n' _____ pas le parapluie de mon indifférence.

3. ➤ *Quel ensemble de verbes (A, B ou C) complète les phrases correctement ?*

_____ que les mots jouent parfois de vilains tours. _____ ta langue sept fois avant de parler.

A) Apprends, Tourne
B) Apprend, Tournes
C) Apprens, Tourne

4. ➤ *Complétez la phrase en mettant le verbe* aller *à la 2ᵉ personne du singulier de l'impératif présent.*

« Je n'ai qu'un conseil à te donner : _____ -y mollo ! », dit la monitrice à un apprenti skieur.

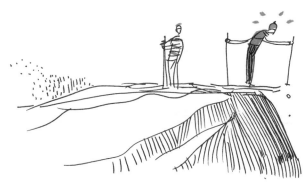

5. ➤ *Trouvez et corrigez les deux erreurs que contient*
la déclaration de la journaliste.

« Il faut que le lecteur soit bien renseigné, dit Agathe
Pica, mais il ne faut pas qu'il croit tout ce qu'on écrit
dans les journaux. Je souhaite que le lecteur aye l'esprit
critique et l'œil averti ! »

6. ➤ *Quel ensemble de verbes (A, B ou C) complète la phrase*
correctement ?

« Si vous _____ le plan de match que j'ai
préparé, il se peut que vous _____ une cuisante
défaite », dit, tout en sueur, l'entraîneur à ses joueurs.

A) défaisez, essuyez
B) défaites, essuyiez
C) défaites, essuyez

7. ➤ *Trouvez et corrigez les deux erreurs que contient*
la nouvelle suivante.

De source bien informée, notre journal a apprit que le
gouvernement concluerait sous peu une entente avec
une importante industrie automobile. Cette entente
visant à fabriquer le modèle appelé *L'Auto-Québec*
créerait 649 emplois.

8. ➤ *Quel ensemble de verbes (A, B ou C) complète les phrases correctement ?*

« Il va falloir que je m'_____ à la tâche, dit le Père Noël à Nez rouge. Il faut que je _____ 30 cm de neige avant minuit ! »

A) attèle, pelte
B) attelle, pellète
C) attelle, pellette

9. ➤ *Dans le texte suivant, tous les verbes en italique sont écrits correctement, sauf un. Trouvez-le et corrigez-le.*

– Papa, est-ce que ma nouvelle coiffure punk te *plaît* ?
– Elle ne me *déplaît* pas. Il *paraît* que le vert met du piquant dans la vie, surtout quand le temps est gris...
– Toi, tu *parais* bien, malgré tes cheveux gris !
– Une chose est sûre, ma chérie : je *paraitrais* très mal si j'avais les cheveux vert-de-gris !

10. ➤ *Lesquelles des expressions suivantes (A à F) peuvent compléter la phrase correctement ?*

Roméo dit à Fleurette : « Quand je te donne un bouquet de fleurs en disant "je t'aime", ma ferveur amoureuse te _____ ? »

A) surprend-elle
B) surprent-elle
C) surprend-t-elle

D) convainc-elle
E) convaint-elle
F) convainc-t-elle

Réponses ➡ 242

L'Arc-en-verbes
du professeur Bêcherède

Afin d'initier ses élèves à la magie du verbe, le professeur Aurèle Bêcherède leur propose souvent de jouer à l'*Arc-en-verbes*. Ce jeu consiste à trouver tous les verbes qui se cachent dans un arc-en-ciel de verbes écrits en lettres majuscules.

Dans ce jeu, toutes les formes de la conjugaison d'un verbe sont acceptées. On note deux verbes lorsqu'on peut distinguer deux formes verbales à l'aide d'un accent, par exemple *mange* et *mangé*, *manges* et *mangés*. On ne note qu'une seule fois une forme verbale qui se répète de façon identique dans l'arc, par exemple *a* et *as* (formes du verbe *avoir* qui s'y trouvent plus d'une fois).

Trouvez les 48 verbes qui se cachent dans l'*Arc-en-verbes* que le professeur Bêcherède propose cette semaine à ses élèves. Si vous trouvez plus de 48 verbes, le professeur Bêcherède vous considère «plus que parfait» et vous décerne le titre de «génie en verbes»!

PASSEREVETIRASSOYEZAPPARAITRAPERCUTES

1.	25.
2.	26.
3.	27.
4.	28.
5.	29.
6.	30.
9.	31.
8.	32.
9.	33.
10.	34.
11.	35.
12.	36.
14.	37.
15.	38.
16.	39.
17.	40.
18.	41.
19.	42.
20.	43.
21.	44.
22.	45.
23.	46.
24.	48.

La majuscule

Réponses ➠ 245-250

Autocorrection

1. ➤ Livraison rapide

Vérifiez l'emploi de la majuscule ou de la minuscule dans les trois noms propres en italique et faites, s'il y a lieu, les corrections qui s'imposent.

Depuis que le *petit Poucet* lui a prêté ses bottes de sept lieues, le *Petit Chaperon Rouge* peut aller porter des confitures à sa grand-maman sans craindre le *Grand méchant loup*.

2. ➤ Des colons avant Colomb

Vérifiez si le mot en italique s'écrit avec la majuscule ou la minuscule et corrigez-le, s'il y a lieu.

Vers l'an 1000, le *Viking* Leif Eriksson, fils du célèbre Erik le *rouge*, a établi à Terre-Neuve un campement de huttes gazonnées pouvant loger une centaine de personnes. Découvert en 1960, ce campement *Viking* est considéré comme la première colonie *européenne* établie en Amérique.

3. ➤ Un homme racé

Quel ensemble de mots (A, B ou C) complète la phrase correctement ?

En Afrique du Sud, Nelson Mandela a libéré les _____ de la dictature que leur imposait la minorité _____ .

A) noirs, blanche
B) Noirs, blanche
C) Noirs, Blanche

4. ➤ Des œuvres « pleines » de détresse et d'enchantement

*Lequel des mots composés suivants (A à D) complète
la phrase correctement ?*

Gabrielle Roy et Daniel Lavoie, deux _____
célèbres, ont décrit et chanté la beauté des plaines
de l'Ouest.

A) francos-manitobains   C) franco-manitobains
B) Francos-Manitobains   D) Franco-Manitobains

5. ➤ Un « Rouge » sur un billet bleu !

*Trouvez et corrigez l'erreur que contient la déclaration
de l'historien.*

« Wilfrid Laurier fut le premier premier ministre
canadien-français du Canada, dit Jean de Saint-Lin.
Chaque fois que j'utilise un billet de cinq dollars, je me
souviens avec émotion de cet illustre Canadien-Français
et de ce grand chef libéral. »

6. ➤ Le « franci-Net »

Vérifiez si le mot français *s'écrit avec la majuscule ou
la minuscule et corrigez-le, s'il y a lieu.*

« Les deux internautes avec qui je communique sont
Français, dit Francine. Même si les *Français* et moi ne
parlons pas toujours le même *français*, nous avons
appris à nous parler de façon franche, claire et nette ! »

7. ➤ Un chef-d'œuvre d'entraide

Vérifiez si le mot en italique s'écrit avec la majuscule ou la minuscule et corrigez-le, s'il y a lieu.

Au commencement, *Dieu* créa le ciel et la terre avec l'aide du *Dieu* Hercule et de la *déesse* Vénus. Après qu'ils eurent aidé le *créateur* à accomplir son colossal et magnifique travail, les *dieux* s'exclamèrent : « Ah ! *dieu* du ciel que la terre est belle ! »

8. ➤ Une cravate ou des pantoufles ?

Laquelle des expressions suivantes (A à D) complète la phrase correctement ?

Qu'est-ce que tu donneras à ton père pour la _____ ?

A) fête des pères   c) fête des Pères
B) Fête des pères   D) Fête des Pères

9. ➤ Patron gâteau

Vérifiez l'emploi de la majuscule ou de la minuscule dans chaque expression en italique et faites, s'il y a lieu, les corrections qui s'imposent.

« Au bureau, mes employés et moi avons fêté la *journée de la Femme*, la *Semaine des secrétaires*, le *Mois des handicapés* et l'*Année des droits de la personne*. Cela fait pas mal de gâteaux à manger dans une année ! », dit un patron au foie engorgé.

10. ➤ **Ordres et hordes barbares**

Quel ensemble d'expressions (A à F) complète la phrase correctement ?

Les atrocités commises par les nazis durant la _____ rappellent celles que les Barbares ont commises au _____ .

A) deuxième Guerre Mondiale   D) Moyen âge
B) Deuxième guerre mondiale   E) Moyen Âge
C) Deuxième Guerre mondiale   F) moyen Âge

11. ➤ **Le mantra de maître Véga**

À l'aide de l'indice donné par le maître en astronomie, trouvez le nom de chacune des planètes du système solaire.

Maître Véga dit à ses initiés : « La première lettre de chacun des mots de la formule suivante vous donne la première lettre de chacun des noms des planètes du système solaire. »
Me voici tout mouillé, j'ai suivi un nuage pleurant.

1re planète : _____   6e planète : _____
2e planète : _____   7e planète : _____
3e planète : _____   8e planète : _____
4e planète : _____   9e planète : _____
5e planète : _____

12. ➤ Un grand lunatique

Complétez le texte en utilisant le mot lune *ou* Lune.

« Mon mari aime tellement les balades au clair de _____ que j'ai peur qu'il n'attrape un coup de _____ ! dit Estelle. Si Jonathan avait travaillé à la NASA, il aurait sûrement été le premier à marcher sur la _____ . »

13. ➤ Nouvelle histoire de Mouchette

Trouvez et corrigez l'erreur que contient la déclaration de Mouchette.

« Selon l'horoscope traditionnel, je suis née poisson et, selon l'horoscope chinois, je suis née Dragon. Cela explique sans doute ma passion dévorante et brûlante pour tous les poissons de la planète ! », dit Mouchette.

14. ➤ David contre McGoliath

Quelle expression (A, B ou C) complète la phrase correctement ?

La _____ a aidé les employés du restaurant McRonald à se syndiquer.

A) Confédération des syndicats nationaux
B) Confédération des Syndicats Nationaux
C) confédération des Syndicats nationaux

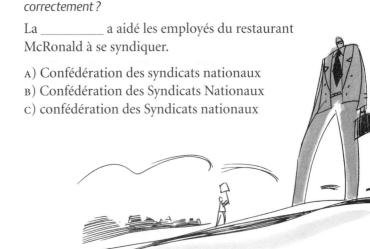

15. ➤ **Les deux pieds dans le même sabot**

Quel ensemble d'expressions (A, B ou C) complète la phrase correctement ?

Selon la maison de sondage Grand Galop,
_____ sont sur un pied d'égalité.

A) le Bloc québécois et le Nouveau Parti Démocratique
B) le Parti libéral et le Parti conservateur
C) le parti Rhinocéros et l'Alliance Canadienne

16. ➤ **État de sièges**

Vérifiez l'emploi de la majuscule ou de la minuscule dans les mots ou les expressions en italique et faites, s'il y a lieu, les corrections qui s'imposent.

Combien de *Libéraux*, de *Péquistes* et d'*Adéquistes* siègent à l'*Assemblée nationale* ? Combien de députés *libéraux, conservateurs, néo-démocrates, bloquistes* et *alliancistes* siègent à la *chambre des Communes* ?

17. ➤ **De bons tuyaux**

Vérifiez l'emploi de la majuscule ou de la minuscule dans les expressions en italique et faites, s'il y a lieu, les corrections qui s'imposent.

Le *ministre de l'Éducation* a déclaré : « De concert avec le *Ministère de l'industrie et du commerce*, le *Ministère de l'éducation* élaborera des programmes de formation qui offriront un grand nombre de débouchés aux diplômés. »

18. ➤ **Acte I, scène I**

Complétez le texte en utilisant le mot cégep *ou* Cégep.

Cette jeune comédienne a étudié le théâtre
au _____ Lionel-Groulx. Le _____
Lionel-Groulx est réputé pour l'excellence
de sa formation en art dramatique.

19. ➤ **Un secret enfin dévoilé**

*Vérifiez l'emploi de la majuscule ou de la minuscule dans
les mots ou les expressions en italique et faites, s'il y a lieu,
les corrections qui s'imposent.*

Un professeur de l'*école Polytechnique* de l'*Université
de Montréal* a révélé que le toit du *stade Olympique*
devait, à l'origine, être recouvert d'une toile de voilier
conçue spécialement pour résister aux fortes « vagues »
de la foule !

20. ➤ **Faire les choses en grand**

*Vérifiez l'emploi de la majuscule ou de la minuscule dans
les deux expressions en italique et faites, s'il y a lieu,
les corrections qui s'imposent.*

Samedi, nous avons assisté à un spectacle au *Grand
théâtre de Québec*. Dimanche, nous sommes allés
bouquiner à la *Grande Bibliothèque du Québec*.

21. ➤ Problème capital

*Dans lesquelles des dénominations suivantes (A à F)
peut-on écrire* musée *plutôt que* Musée ?

A) le Musée de la monnaie
B) le Musée des beaux-arts
C) le Musée Gilles-Villeneuve
D) le Musée national de l'aviation
E) le Musée du Québec
F) le Musée ferroviaire canadien

22. ➤ Le monstre qui crache des « bleuets » de canon !

Complétez le texte en utilisant le mot lac *ou* Lac-.

Il paraît qu'un monstre en forme de serpent, appelé
« Ashuaps », hante les eaux du _____
Saint-Jean et que tous les habitants du _____
Saint-Jean en ont une peur bleue !

23. ➤ Conte du Bas-du-Fleuve

*Vérifiez l'orthographe de chaque mot en italique
(majuscule, minuscule, trait d'union) et faites, s'il y a lieu,
les corrections qui s'imposent.*

Un vieux loup de mer m'a raconté que la ville
de *Rivière-du-Loup* et la *Rivière du Loup* doivent leur
nom à un vaisseau appelé « Le Loup » qui, vers 1660,
aurait jeté l'ancre à cet endroit, les glaces du *Fleuve
Saint-Laurent* l'empêchant d'aller plus loin.

24. ➤ **Vol au-dessus d'un nid de cocos**

*Trouvez et corrigez l'erreur que contient la déclaration
des deux touristes.*

Deux touristes au crâne dégarni ont déclaré au capitaine Bernier : « La prochaine fois que nous ferons une
croisière dans le golfe du Saint-Laurent, nous
porterons une casquette. Les goélands et les fous de
Bassan qui volent autour du Rocher Percé et de l'île
Bonaventure nous ont laissé de drôles de souvenirs sur
le coco ! »

25. ➤ **À pied ou en traîne sauvage ?**

*Vérifiez l'emploi de la majuscule ou de la minuscule
dans les expressions en italique et faites, s'il y a lieu,
les corrections qui s'imposent.*

On croit que les Amérindiens et les Inuits sont venus
d'Asie, il y a plus de 6000 ans, en passant par le *détroit
de Béring*, situé entre l'*Océan arctique* et la *Mer de
Béring*, dans l'*océan Pacifique*.

26. ➤ **Retour aux sources**

Complétez le texte en utilisant le mot baie *ou* Baie-.

La _____ d'Hudson doit son nom à Henry
Hudson, un navigateur anglais qui explora l'endroit
et qui y périt en 1611. Quant à la _____ James
et à la municipalité de _____ James, elles doivent
leur nom à Thomas James qui, en 1631-1632, suivit
la voie tracée par son compatriote, sans toutefois
y laisser sa peau !

27. ➤ **Tremblements de neige**

Trouvez et corrigez l'erreur que contient le dialogue suivant.

– Quand le Mont-Tremblant tremble, une avalanche
de boules de neige tombe sur les skieurs, dit un
citoyen de Mont-Tremblant.

– Quand les montagnes Rocheuses tremblent, une
avalanche de skieurs tombe en boules de neige!
lui réplique un citoyen de Banff.

28. ➤ **Circulation « fluide »**

*Lesquelles des expressions suivantes (A à F) peuvent
compléter la phrase correctement ?*

On recommande aux automobilistes de ne pas
prendre _____ , car un camion contenant de
l'hydrogène liquide s'y est renversé.

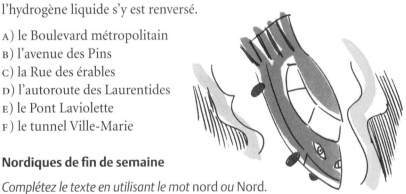

A) le Boulevard métropolitain
B) l'avenue des Pins
C) la Rue des érables
D) l'autoroute des Laurentides
E) le Pont Laviolette
F) le tunnel Ville-Marie

29. ➤ **Nordiques de fin de semaine**

Complétez le texte en utilisant le mot nord *ou* Nord.

Chaque fin de semaine, des milliers de Montréalais
vont se reposer dans le _____ . Ils ne vont pas au
pôle _____ , mais dans les Laurentides,
à 50 km et plus au _____ de Montréal.

30. ► Le Roi-Soleil

Vérifiez si les mots en italique s'écrivent avec la majuscule ou la minuscule et corrigez-les, s'il y a lieu.

« J'habite rue Saint-Denis *ouest*, dit une personne âgée. Le jour, je m'assois sur le perron et je profite des chauds rayons du soleil de l'*Est*. Le soir, je m'assois dans la véranda et je regarde à l'*ouest* pour admirer les beaux couchers de soleil. »

31. ► Voyage à la carte

Trouvez et corrigez l'erreur que contient la déclaration de Mme Brossard.

« L'été dernier, mon mari et moi avons visité les Cantons-de-l'Est et la Côte-Nord, dit Mme Brossard, une citoyenne de la Rive-Sud. L'été prochain, si notre autocaravane tient bon, nous irons visiter le Nord-ouest québécois. »

32. ► Bons comme du bon pain Cousin ?

Laquelle des expressions suivantes (A, B ou C) complète la phrase correctement ?

« Lors du _____ , nous avons constaté à quel point nos cousins québécois sont bons comme du bon pain », ont affirmé des touristes français.

A) carnaval de Québec
B) salon du Livre de Rimouski
C) Festival de la crevette de Matane

33. ➤ Le grand Richard et le gros richard

Quel ensemble de mots (A, B ou C) complète la phrase correctement ?

« Si les Canadiens remportent la _____ Stanley et si l'un de mes joueurs remporte le _____ Maurice-Richard, je me considérerai comme le plus riche directeur des clubs de la Ligue nationale », dit Ronald D. Coré.

A) coupe, trophée
B) Coupe, Trophée
C) coupe, Trophée

34. ➤ Deux œuvres hors pair

Dans quel ensemble de titres d'œuvres (A, B ou C) la majuscule est-elle employée correctement ?

Les deux œuvres les plus marquantes de Gabrielle Roy sont : _____ .

A) *La petite poule d'eau* et *la Montagne Secrète*
B) *Bonheur d'occasion* et *Ces enfants de ma vie*
C) *La Détresse et l'enchantement* et *De quoi t'ennuies-tu, Éveline ?*

35. ➤ Âge canonique

Vérifiez si les mots en italique s'écrivent avec la majuscule ou la minuscule et corrigez-les, s'il y a lieu.

L'*état* de santé du chef de l'*Église* catholique et de l'*état* du Vatican suscite de vives inquiétudes. Dans toutes les *églises* du monde, les *Catholiques* ont prié pour que la santé du pape s'améliore.

36. ➤ L'hiver de la marmotte

Vérifiez si on doit écrire monsieur *ou* Monsieur *et faites, s'il y a lieu, la correction qui s'impose.*

De retour de Floride, *Monsieur* Robert Lamoureux vient saluer son voisin, *Monsieur* Roger Bontemps.
– Bonjour, *monsieur* Bontemps. Avez-vous passé
   un bel hiver ?
– Bien sûr, *monsieur* Lamoureux. J'ai dormi du
   8 janvier au 3 février !
– Eh ! *monsieur* ! Avez-vous fait une crise cardiaque ?
– Non, *monsieur*, mais le Québec a traversé une
   terrible crise du verglas qui a duré un mois. Alors,
   comme *monsieur* Tout-le-Monde, j'ai réagi à la crise
   comme j'ai pu !

37. ➤ Le baptême d'un fleuve

Quel ensemble de mots (A, B ou C) complète la phrase correctement ?

Le fleuve _____ Laurent fut « baptisé » ainsi par Jacques Cartier le 10 août 1536, jour de la fête de _____ Laurent.

A) Saint-, Saint-
B) Saint-, saint
C) saint, Saint-

38. ➤ Un fleuron glorieux

Vérifiez l'emploi de la majuscule ou de la minuscule dans les mots ou les expressions en italique et faites, s'il y a lieu, les corrections qui s'imposent.

Le *Frère* Marie-Victorin, né Conrad Kirouac, était membre des *Frères* des écoles chrétiennes. Ce grand botaniste est l'auteur de la célèbre *Flore Laurentienne* et l'un des fondateurs du *Jardin botanique* de Montréal.

39. ➤ Floralys

Complétez le texte en utilisant le mot juin *ou* Juin.

La fête nationale des Québécois a lieu
le 24 _____ . Les Québécois fêtent
le 24 _____ dans l'allégresse.

40. ➤ La pince de M. Écrevisse

Trouvez et corrigez l'erreur que M. Écrevisse a volontairement commise dans son texte.

Les écoliers n'ont pas eu congé le Mardi gras, le Mercredi des cendres et le Jeudi saint. Par contre, ils ont eu congé le Vendredi saint et le lundi de Pâques.

Autoévaluation

Réponses ➠ 251

1. ➤ *Quel ensemble de mots (A, B ou C) complète la phrase correctement ?*

La légende de Merlin _____ est d'origine _____ .

A) l'enchanteur, Bretonne
B) l'Enchanteur, bretonne
C) L'enchanteur, Bretonne

2. ➤ *Trouvez et corrigez l'erreur que contient la déclaration de la chanteuse.*

« La population néo-brunswickoise est composée de Canadiens-Anglais qui parlent l'anglais et d'Acadiens qui parlent et chantent l'acadien », dit Édith Paquetville.

3. ➤ *Complétez la phrase en utilisant le mot* dieu *ou* Dieu.

Jean-Luc Brassard a skié comme un _____ et dansé la bossa-nova comme un pied !

4. ➤ *Quelle expression (A, B ou C) complète la phrase correctement ?*

Le combat de boxe entre Dollard Ouellet et Max Hilton aura lieu le jour de la _____ .

A) fête de la Reine
B) Fête de la Reine
C) Fête de la reine

5. ➤ *Quel ensemble d'expressions (A, B ou C) complète la phrase correctement ?*

La création du _____ est un fait marquant de la _____ .

A) ministère de l'Éducation, Révolution tranquille
B) Ministère de l'Éducation, Révolution Tranquille
C) Ministère de l'éducation, révolution Tranquille

6. ➤ *Deux des expressions suivantes (A à F) peuvent compléter la phrase correctement. Lesquelles ?*

Quelqu'un m'a téléphoné pour savoir si je voulais devenir membre _____ .

A) du Parti Conservateur
B) de l'alliance Canadienne
C) du bloc Québécois
D) du Parti libéral fédéral
E) du Nouveau parti démocratique
F) de l'Alliance démocratique du Québec

7. ➤ *Trouvez et corrigez l'erreur que contient le texte suivant.*

À Québec au clair de lune, Jonathan a demandé à Estelle : « Qui a accompli le plus bel exploit : Tintin qui a marché sur la Lune ou moi qui ai décroché la Lune pour toi ? »

8. ➤ *Quel ensemble d'expressions (A, B ou C) complète la phrase correctement ?*

On peut se rendre sur _____ en passant par _____ .

A) le Mont-Royal, l'avenue du Mont Royal
B) le Mont royal, l'avenue du mont-royal
C) le mont Royal, l'avenue du Mont-Royal

9. ➤ *Lequel des titres suivants (A à D) respecte les règles traditionnelles d'emploi de la majuscule ?*

Grâce à mon cours de lecture rapide, j'ai pu lire le roman _____ en une heure !

A) Le matou   C) Au Pied de la pente douce
B) L'Avalée des avalés   D) La belle Bête

10. ➤ *Trouvez et corrigez les deux erreurs que contient le texte suivant.*

Le directeur du Musée de Québec aurait confié à la journaliste Camille du Carmel : « Rodin a déjà fait une sculpture de Saint-Jean-Baptiste, mais elle n'est pas exposée ici parce qu'on a perdu sa tête durant le transport. Ne le dites à personne, c'est quasi un secret d'état ! »

Réponses ⟶ 251

Les « farfelivres » de M. Tranchefile

Libraire depuis un demi-siècle, M. Henri Tranchefile a acquis une culture « du bien lire et du bien rire » des plus originales. Pour vous donner un aperçu de cette drôle de culture, M. Tranchefile vous présente une liste sommaire de ses « farfelivres » préférés ; il appelle « farfelivres » les livres dont le titre et le nom de l'auteur ont été déformés d'une façon plutôt farfelue par certains de ses clients peu informés...

Trouvez le titre et le nom véritables des 16 « farfelivres » que M. Tranchefile a mis en montre dans sa vitrine québécoise « du bien lire et du bien rire ».

Mes farfelivres préférés

1

Le Surprenant

Geneveuve d'Outremont

TITRE : _____

AUTEURE : _____

2

Les Jambes de bois

Anne Dagobert

TITRE : _____

AUTEURE : _____

3

Un somme
n'est pas péché

Claude-Henri Grognon

TITRE : _____

AUTEUR : _____

4

Renaud, maître scieur

Félix-Antoine Godendard

TITRE : _____

AUTEUR : _____

5

Une pension
à vie pour Emmanuel

Marie-Claire Rabelais

TITRE : _____

AUTEURE : _____

6

Pédalo-la-Brouette

Antonine Mallette

TITRE : _____

AUTEURE : _____

7

Tayaourt, fils de Yogourt

Yves Thériuk

TITRE : _____

AUTEUR : _____

8

Eiffel et le touriste

Claude Jospin

TITRE : _____

AUTEUR : _____

9

L'Âme empaillée

Castor Miron

TITRE : _____

AUTEUR : _____

10

Pétards
et feux dans l'espace

*Hector de Saint-Marc
Garneau*

TITRE : _____

AUTEUR : _____

11

La grosse madame Côté
est metteure en scène

Michel Tremblotte

TITRE : _____

AUTEUR : _____

12

Un crime soda

Marcel Jubilé

TITRE : _____

AUTEUR : _____

13

C'est tannant,
d'ailleurs

Starlette Costume

TITRE : _____

AUTEURE : _____

14

L'Ombre
du voilier

Noël Goélette

TITRE : _____

AUTEUR : _____

15

L'Aîné qui bloque

Renez Ducharme

TITRE : _____

AUTEUR : _____

16

Les aventures de Sivis
Totem et de Para Tonnerre

TOME 1

Louis Gaucher

TITRE : _____

AUTEUR : _____

CHAPITRE 5

Les signes de ponctuation

Autocorrection

Réponses ⟹ 252-257

1. ➤ Journée magique

Quel texte (A, B ou C) est ponctué correctement ?

A) « J'ai profité du congé pédagogique pour glisser en tapis magique. » dit un élève.
B) « J'ai profité du congé pédagogique pour glisser en tapis magique. », dit un élève.
C) « J'ai profité du congé pédagogique pour glisser en tapis magique », dit un élève.

2. ➤ Lavage de cerveau

Vérifiez les signes de ponctuation en gras et faites, s'il y a lieu, les corrections qui s'imposent.

« Les journaux n'ont pas cessé de parler du bogue de l'an 2000**.,** déplore M. Net. Ce battage médiatique a fait plus peur au monde que la pire des prédictions de Nostradamus »**.**

3. ➤ Les « Hominous »

Trouvez et corrigez les deux erreurs (ponctuation, majuscule ou minuscule) que contient la déclaration de l'animateur de télévision.

Fixant son auditoire d'un regard perçant, Réjean Glenn dit : « il n'y a pas un chat sur les autres planètes. Tous les extraterrestres sont parmi nous » !

4. ➤ Quel ogre !

*Vérifiez les signes et les lettres en gras et faites,
s'il y a lieu, les corrections qui s'imposent.*

Quand Tim Kellog déjeune au restaurant, il mange
un peu de tout : **D**es céréales, des œufs, du bacon,
des saucisses, etc**..** Quand Tim sort du restaurant, il dit :
« **C**hez Bouffe-Tout, je mange un peu de tout sans
bouffer tout**....** »

5. ➤ Le beau merle

*Quelle énumération (A, B ou C) complète le texte
correctement ?*

Quel est ce bel oiseau qui chante dans l'arbre : _____

A) un merle bleu ? un merle américain ? un merle
   moqueur ?
B) Un merle bleu ? Un merle américain ? Un merle
   moqueur ?
C) Un merle bleu ? un merle américain ? un merle
   moqueur ?

6. ➤ Le retour du beau merle

*Quelle énumération (A, B ou C) complète le texte
correctement ?*

Quel est ce bel oiseau qui chante dans l'arbre ? _____

A) un merle bleu ? un merle américain ? un merle
   moqueur ?
B) Un merle bleu ? Un merle américain ? Un merle
   moqueur ?
C) Un merle bleu ? un merle américain ? un merle
   moqueur ?

7. ➤ La fièvre du printemps

Quel texte (A, B ou C) est ponctué correctement ?

A) « Viens-tu au Jardin botanique avec moi ? » demande
   Roméo à Fleurette.
B) « Tu as hâte au printemps, n'est-ce pas ?, dit Fleurette.
   Allons au Jardin respirer l'air du printemps. »
C) « Quand les perce-neige perceront-ils enfin la
   neige ? », dit Roméo en tendant la main à Fleurette.

8. ➤ Nouvelle histoire de Mouchette

*Trouvez et corrigez l'erreur de ponctuation que contient
la déclaration de Mouchette.*

Examinant le leurre de sa canne à pêche, Mouchette dit :
« Je me demande quelle mouche a piqué ma copine
Dandinette ? Ça fait presque une heure qu'elle est
plongée dans un profond sommeil... »

9. ➤ Les jeux sont faits

*Deux des quatre citations suivantes (A à D) peuvent
compléter la phrase correctement. Lesquelles ?*

Avant de miser, Pat Poker réfléchit toujours au proverbe
qui dit : _____

A) Qui risque tout perd tout.
B) qui risque rien n'a rien.
C) « dans le doute abstiens-toi ».
D) « Aide-toi, le ciel t'aidera. »

10. ➤ Un vers de huit pieds… de neige !

Quel texte (A, B ou C) est ponctué et écrit correctement ?

A) « Ah, comme la neige a neigé » s'écrie
   Émile Nelligan.
B) « Ah ! comme la neige a neigé ! », s'écrie
   Émile Nelligan.
C) « Ah !, Comme la neige a neigé ! », s'écrie
   Émile Nelligan.

11. ➤ Dialogue de sourds

Trouvez et corrigez les deux erreurs (ponctuation, majuscule ou minuscule) que contient le dialogue suivant.

– Bonjour, Dong ! Hé ! je te parle ! Es-tu sourd ?
   Réponds-moi donc !, dit Ding.
– Ah oui ! je suis sourd comme toi, mon pote ! Mais
   moi, au moins, j'entends à rire !
– Ha ! Ha ! Tu es vachement drôle ! Tu me fais rire
   autant qu'une vache…. rit !

12. ➤ L'Être d'amour et l'être de haine

Quelle phrase (A, B ou C) est ponctuée et écrite correctement ?

A) Dieu a dit :« Je suis celui qui est. » et Hitler, dans sa
   folie meurtrière, a dit : « Je suis celui qui hait. »
B) Dieu a dit : « Je suis celui qui est » et Hitler, dans sa
   folie meurtrière, a dit : « Je suis celui qui hait ».
C) Dieu a dit « je suis celui qui est » et Hitler, dans sa
   folie meurtrière, a dit « je suis celui qui hait ».

13. ➤ Au royaume des Roy

Vérifiez la position de chaque point final en gras et faites, s'il y a lieu, la correction qui s'impose.

Selon la revue *La Vieille Branche*, « jusqu'au xixe siècle, les cinq noms de familles les plus répandus au Québec étaient Roy, Gagnon, Gauthier, Lefebvre et Morin**.** » La revue décerne au patronyme Roy le titre de « Roy Ier, premier roi du Québec**.** »

14. ➤ Les Tremblay détrônent les Roy !

Vérifiez la position de chaque point final en gras et faites, s'il y a lieu, la correction qui s'impose.

La revue *La Vieille Branche* révèle que « le patronyme Tremblay, qui était au 19e rang avant 1800, occupe aujourd'hui le 1er rang. Le patronyme Roy est maintenant au 4e rang, après Gagnon et Côté »**.** La revue décerne au patronyme Tremblay le titre de « Tremblay Ier, nouveau roi du Québec », tout en soulignant la « faculté créatrice et procréatrice de cette illustre famille »**.**

15. ➤ Trophée de chasse

Vérifiez les guillemets en gras et corrigez-les, s'il y a lieu, en utilisant des guillemets français (« ») ou anglais (" ").

« Les critiques ont dit que le film *Tête d'orignal* méritait un trophée, car il **«** a du panache **»**. Ce compliment me flatte beaucoup, car c'est moi qui suis la tête d'affiche du film ! **»**, dit la comédienne Michèle de La Postière.

16. ➤ Simple comme bonjour (version classique)

Lequel des textes suivants (A, B ou C) est ponctué correctement, selon les règles de la ponctuation classique ?

A) « Bonjour ! dit un psychiatre à son confrère.
   – Que voulez-vous dire ? », lui répond l'autre, intrigué.

B) « Bonjour ! dit un psychiatre à son confrère.
   – Que voulez-vous dire ? lui répond l'autre, intrigué. »

C) « Bonjour ! », dit un psychiatre à son confrère.
   – « Que voulez-vous dire ? », lui répond l'autre, intrigué.

17. ➤ Simple comme bonjour (version moderne)

Lequel des textes suivants (A, B ou C) est ponctué correctement, selon les règles de la ponctuation moderne ?

A) – « Bonjour ! dit un psychiatre à son confrère.
   – Que voulez-vous dire ? lui répond l'autre, intrigué. »

B) – « Bonjour !, dit un psychiatre à son confrère. »
   – « Que voulez-vous dire ? lui répond l'autre, intrigué. »

C) – Bonjour ! dit un psychiatre à son confrère.
   – Que voulez-vous dire ? lui répond l'autre, intrigué.

18. ➤ Une hirondelle ne fait pas le printemps

*Laquelle des phrases suivantes (A, B ou C) est
ponctuée correctement ?*

A) L'hirondelle, la corneille, le merle, etc. annoncent
l'arrivée du printemps.
B) L'hirondelle, la corneille, le merle etc. annoncent
l'arrivée du printemps.
C) L'hirondelle, la corneille, le merle, etc., annoncent
l'arrivée du printemps.

19. ➤ Planches de salut

*Vérifiez chaque virgule en gras et faites,
s'il y a lieu, la correction qui s'impose.*

«Ma vie serait bien plate**,** dit Pat Burton**,** si on me
privait de mes trois planches préférées : la planche
à roulettes**,** la planche à voile**,** et la planche de surf.»

20. ➤ Il mange avec les loups !

*Trouvez et corrigez l'erreur de ponctuation que contient
le dialogue suivant.*

– Qu'est-ce que je mets dans votre hamburger, monsieur : de la relish, de la moutarde ou du ketchup ?
– Mettez de la relish sur la première boulette, de la
moutarde sur la deuxième et du ketchup sur la
troisième. Quand on vit en forêt monsieur, on a une
faim de loup !

21. ➤ Un bonheur dégouttant

Dans quelle phrase (A, B ou C) la conjonction et *doit-elle normalement être précédée d'une virgule ?*

A) Les enfants nagent, plongent, et s'arrosent dans la piscine.

B) Les enfants s'arrosent dans la piscine, et le bonheur les arrose de joie.

C) Les enfants s'arrosent dans la piscine, et leurs parents rient aux éclats.

22. ➤ Noël blanc pour petits et grands

Quelles énumérations (A à D) complètent la phrase correctement ?

Il a neigé durant la nuit de Noël. Cela a fait plaisir _____ .

A) et aux enfants et aux parents

B) et aux enfants, et aux parents

C) et aux enfants et aux parents et au Père Noël

D) et aux enfants, et aux parents, et au Père Noël

23. ➤ Pause santé avec thé !

Trouvez et corrigez l'erreur de ponctuation que contient la déclaration de Reddy.

« Je ne mets ni lait ni sucre dans mon thé, dit Reddy. Ma femme, Rosie, ne met ni lait, ni sucre, ni succédané de lait ou de sucre dans le sien. Ni elle, ni moi n'aimons déformer le goût de notre boisson favorite. »

24. ➤ Un travail de fou

Deux virgules ont été omises dans le texte suivant. Indiquez entre quels mots chacune doit se placer.

Sébastien, un jeune étudiant fraîchement diplômé se présente au bureau d'emploi d'une grande compagnie.
– Bonjour, mon petit monsieur, quel emploi désirez-vous occuper ? lui demande la secrétaire.
– Patron ! lui répond Sébastien, sûr de dénicher l'emploi rêvé.
– Êtes-vous fou ? lui demande la secrétaire éberluée.
– Est-ce absolument nécessaire ? lui répond Sébastien, affolé.

25. ➤ Ils sont sous, sous… la neige !

Une virgule a été omise dans le texte suivant. Indiquez entre quels mots elle doit se placer.

« L'hiver, je l'aime et le déteste à la fois, dit le Bonhomme Carnaval. Moi, j'aime l'hiver et sa belle neige qui tombe à gros flocons durant le défilé. Ce que je déteste dans l'hiver c'est le froid et le défilé des buveurs qui se sont soûlés à gros flacons ! »

26. ➤ Aïe ! aïe !

Deux virgules ont été omises dans le texte suivant. Indiquez entre quels mots chacune doit se placer.

– Ouvre ta bouche grande, grande, dit le dentiste. Ce ne sera pas bien bien long.
– Je sais, je sais, dit l'enfant, mais je trouve que votre aiguille est très, très longue…
– Du calme, du calme, mon enfant. Ta dent de sagesse a une carie toute toute petite…

27. ➤ **Travailler, c'est très dur**

Dans le texte suivant, une virgule doit être omise et une autre doit être ajoutée. Indiquez entre quels mots chaque correction doit se faire.

Hier, M. Tapetout a travaillé très dur. Aujourd'hui, il se repose. S'il fait beau demain il travaillera. Chose certaine, M. Tapetout reprendra son travail, quand il sera en pleine forme.

28. ➤ **Les dents de la Terre**

Dans quelle phrase (A, B ou C) la virgule qui sépare le complément circonstanciel peut-elle être omise ?

A) Sur notre planète, les dinosaures régnaient.
B) En ce temps-là, vivaient les terribles tyrannosaures.
C) Durant l'ère jurassique, la loi du « œil pour œil, dent pour dent » prévalait.

29. ➤ **Mal à l'aine, à l'haleine ou à la laine ?**

Trouvez et corrigez les deux erreurs de ponctuation que contient le texte suivant.

Déçus par la piètre performance de leur équipe favorite, les deux commentateurs de l'émission « Salut les sportifs » ont déclaré :
– L'auréole du Canadien, avouons-le, a perdu 100 % de son éclat !
– La Sainte Flanelle si je ne m'abuse, a perdu jusqu'à sa dernière chemise. Le Tricolore, à mon avis, n'est plus qu'un « tricot mort » !

30. ➤ **Train-train quotidien**

Dans quelle phrase (A, B ou C) la proposition relative doit-elle normalement être encadrée de virgules ?

A) Les citoyens qui utilisent le train de banlieue sont peu nombreux.

B) Certains citoyens qui souvent sont mal renseignés doutent de l'efficacité du train de banlieue.

C) La majorité des citoyens que l'on a consultés sont en faveur du train de banlieue.

31. ➤ **Un cas de force majeure**

Dans le texte suivant, une virgule doit être omise. Indiquez entre quels mots celle-ci doit l'être.

Jacques a 18 ans, donc il a le droit de vote. Mais, il ne veut pas aller voter. Son frère André, qui est pourtant mineur, l'a prévenu : « J'ai 17 ans, mais j'en parais 18. Va voter, sinon j'irai voter à ta place ! »

32. ➤ **Blanchiment d'argent**

Quelle phrase (A, B ou C) est ponctuée correctement ?

A) M. Zamboni déneige les entrées à bon prix, mais, bien entendu, il exige d'être payé en argent comptant.

B) M. Zamboni déneige les entrées à bon prix, mais bien entendu, il exige d'être payé en argent comptant.

C) M. Zamboni déneige les entrées à bon prix mais, bien entendu, il exige d'être payé en argent comptant.

33. ➤ Oui, yes

Quelle phrase (A, B ou C) est ponctuée correctement ?

A) Kevin apprend le français, et Céline l'anglais.
B) Kevin apprend le français et Céline, l'anglais.
C) Kevin apprend le français et, Céline, l'anglais.

34. ➤ Oui, yes, si, si

Deux des quatre phrases suivantes (A à D) sont ponctuées correctement. Lesquelles ?

A) Kevin apprend le français, Céline l'anglais, Roch l'italien, et Isabelle, l'espagnol.
B) Kevin apprend le français, Céline l'anglais, Roch l'italien et Isabelle l'espagnol.
C) Kevin apprend le français ; Céline, l'anglais ; Roch, l'italien, et Isabelle l'espagnol.
D) Kevin apprend le français ; Céline, l'anglais ; Roch, l'italien ; et Isabelle, l'espagnol.

35. ➤ L'amour, c'est la santé

Trouvez et corrigez l'erreur de ponctuation que contient le texte suivant.

En février, les Lasanté fêtent trois anniversaires ; le 6, celui de Robert ; le 10, celui de Marielle ; le 14, jour de la Saint-Valentin, celui de tous les Lasanté, vivants ou disparus !

36. ➤ Un avenir ensoleillé ou « plus vieux » ?

Dans quel exemple (A, B ou C) le point final doit-il normalement être remplacé par un point-virgule ?

A) Les jeunes souhaitent le changement. Ils parlent de l'avenir en disant : « Lorsque je serai grand... »

B) Les adultes craignent le changement. Certains rêvent du passé alors qu'ils ont à peine 20 ans !

C) Les jeunes souhaitent le changement. Les adultes le craignent.

37. ➤ Vieux motard que jamais !

Quel mot composé (A, B ou C) complète la phrase correctement ?

L'été dernier, Mme Brossard et son mari, deux septuagénaires, ont visité _____ à motocyclette !

A) l'Abitibi–Témiscamingue

B) la Mauricie–Bois-Francs

C) le Saguenay-Lac-Saint-Jean

38. ➤ Un amour infroissable

Quel commentaire (A, B ou C) complète le texte correctement ?

Pour célébrer leurs noces de papier _____ M. Cascade et Mme Rolland ont visité la Papeterie Saint-Gilles, à Saint-Joseph-de-la-Rive.

A) — un an, quel lien fragile ! —

B) — Un an, quel lien fragile ! —

C) — un an, quel lien fragile ! —,

39. ➤ Un amour inflammable

Quel commentaire (A, B ou C) complète le texte correctement ?

M. Cascade et Mme Rolland ont célébré leurs noces de bois dans leur chalet à Val-des-Bois _____

A) — cinq ans de vie au foyer, ça se fête au coin du feu ! — .
B) — cinq ans de vie au foyer, ça se fête au coin du feu !
C) — cinq ans de vie au foyer, ça sa fête au coin du feu —!

40. ➤ Les pinces de M. Écrevisse

Trouvez et corrigez les deux erreurs de ponctuation que M. Écrevisse a volontairement commises dans son texte.

Deux de mes amis célébreront bientôt leurs noces de perle (Seules des perles rares peuvent vivre trente ans ensemble.) Ils m'ont invité à la dégustation d'huîtres qu'ils ont organisée à Caraquet (la « perle de l'Acadie » !) pour l'occasion. Pour tout l'or du monde (je ne puis attendre leurs noces d'or...) je ne raterai pas cette occasion.

Réponses ➠ 258

1. ➤ *Quelle citation (A, B ou C) complète le texte correctement ?*

Le président de l'Assemblée nationale a déclaré : _____

A) « j'ai mis un point final à ce débat déshonorant. »
B) « J'ai mis un point final à ce débat déshonorant ».
C) « J'ai mis un point final à ce débat déshonorant. »

2. ➤ *Deux des quatre phrases suivantes (A à D) sont ponctuées correctement. Lesquelles ?*

A) « Je ne sais pas pourquoi mon bateau a été sauvé du déluge ? », dit Noé Tremblay.
B) « Je ne sais pas pourquoi mon bateau a été sauvé du déluge. » dit Noé Tremblay.
C) « Je ne sais pas pourquoi mon bateau a été sauvé du déluge », dit Noé Tremblay.
D) « Je ne sais pas pourquoi mon bateau a été sauvé du déluge ! », dit Noé Tremblay.

3. ➤ *Quelle citation (A, B ou C) complète le texte correctement ?*

Dans une chanson de Gilles Vigneault, Rose-Jeanne s'écrie : _____

A) « Ah ! que l'hiver tarde à passer quand on le passe à la fenêtre ! »
B) « Ah !, que l'hiver tarde à passer quand on le passe à la fenêtre » !
C) « Ah ! Que l'hiver tarde à passer quand on le passe à la fenêtre. »

4. ➤ *Deux des quatre phrases suivantes (A à D) sont ponctuées correctement. Lesquelles ?*

A) Le latin a donné naissance au français, à l'italien, à l'espagnol, etc.

B) Le latin a donné naissance au français, à l'italien, à l'espagnol, etc..

C) Le français, l'italien, l'espagnol, etc., sont issus du latin.

D) Le français, l'italien, l'espagnol, etc. sont issus du latin.

5. ➤ *Quelle énumération (A, B ou C) complète correctement la déclaration de Mouchette ?*

« Lorsque je suis allée pêcher
au lac Bouchette, dit Mouchette,
j'ai attrapé trois poissons : _____ »

A) Un achigan à grande bouche, un achigan à petite bouche, et un achigan de roche.

B) un achigan à grande bouche, un achigan à petite bouche et un achigan de roche.

C) un achigan à grande bouche, un achigan à petite bouche et, un achigan de roche.

6. ➤ *Trouvez l'erreur de ponctuation que contient le texte suivant et indiquez entre quels mots la correction doit se faire.*

Selon le président du Mouvement Desjardins, M. Claude Caisse, « le seul complexe qu'ont les Québécois c'est le complexe Desjardins ! Sur le plan économique, ils n'ont plus aucun complexe à avoir. »

7. ➤ *Quel texte (A, B ou C) est ponctué correctement ?*

A) – Allô, les enfants ! Vous allez bien ? dit Oncle
Georges, tout souriant Alors souriez, sinon je vous
dénonce à la DPJ !

B) – Allô les enfants ! Vous allez bien ?, dit Oncle
Georges tout souriant. Alors souriez, sinon je vous
dénonce à la DPJ !

C) – Allô, les enfants ! Vous allez bien, dit Oncle
Georges, tout souriant ? Alors souriez sinon je vous
dénonce à la DPJ !

8. ➤ *Quelle énumération (A, B ou C) complète la phrase
correctement ?*

Lorsqu'ils sont allés au Club 12/24, M. et Mme Price ont,
entre autres choses, acheté : _____

A) 12 pains frais, encore tout chauds ; 12 bouteilles d'eau
de source en poudre, et 24 romans à l'eau de rose.

B) 12 pains frais, encore tout chauds ; 12 bouteilles d'eau
de source en poudre ; et 24 romans à l'eau de rose.

C) 12 pains frais, encore tout chauds ; 12 bouteilles d'eau
de source en poudre, et : 24 romans à l'eau de rose.

9. ➤ *Quelles expressions (A à D) peuvent compléter la phrase
correctement ?*

Les blagues du Père Gédéon étaient _____

A) très très salées   C) ou salées ou insipides

B) très, très salées   D) ou salées, ou insipides

10. ➤ *Trouvez les deux erreurs de ponctuation que contient le texte suivant et indiquez entre quels mots chaque correction doit se faire.*

Quand M. Écrevisse entend quelqu'un parler en joual (hennir en joual?), son poil se hérisse et il prend le mors aux dents. Quand M. Écrevisse entend quelqu'un chanter en joual – surtout un chanteur western! – il crie: «Ouille! ouille! quelle langue de picouille.»

Réponses ➡ 258

Autorelaxation

Les deux amis de Sylvie Wonder

Dans *Le Haut de gamme*, le journal de l'école de musique où elle étudie, Sylvie Wonder a publié un texte en braille qui vise à sensibiliser les voyants à la situation des non-voyants.

Dans ce texte, dont nous reproduisons les «points saillants», la jeune musicienne aveugle remercie les deux êtres qui l'ont le plus aidé à assumer son handicap.

Décodez le message de Sylvie Wonder et découvrez les deux êtres qui lui sont le plus chers.

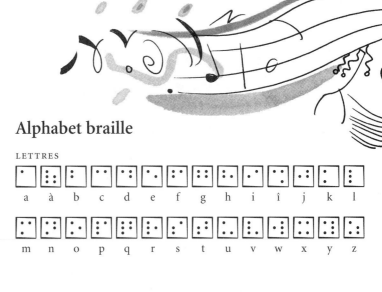

Alphabet braille

LETTRES

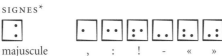

a à b c d e f g h i î j k l

m n o p q r s t u v w x y z

SIGNES*

majuscule , : ! - « »

* Liste partielle. Tous les signes orthographiques et tous les signes de ponctuation sont représentés dans l'alphabet braille.

CHAPITRE 6

Les signes orthographiques

Réponses ⇒ 259-264

1. ➤ Soupe louche

Tous les mots suivants prennent un accent aigu sur la lettre e
(é), sauf un qui ne prend pas d'accent. Lequel ?

arsénic, céleri, crémeux, mélasse, sécréter

2. ➤ Un joyeux troubadour

*Trouvez et corrigez l'erreur que contient la déclaration
du chanteur.*

« Je ne suis pas né en Bohême mais, toute ma vie,
j'ai chanté sans trève les joies et les plaisirs de la vie
de bohème », dit Charles Aznavour.

3. ➤ Un verre de schtroumpf, mon minou ?

Vérifiez chaque mot en italique et corrigez-le, s'il y a lieu.

« Il n'y a aucune *ambiguité* possible. La *ciguë* que le chat
Azraël a bue et qui lui a causé des douleurs *aiguës* a été
préparée par son maître, le cruel Gargamel », s'est écrié
le Grand Schtroumpf, d'un ton *suraigü.*

4. ➤ Château branlant

*Trouvez et corrigez les deux erreurs que contient le dialogue
suivant.*

– Quelle infâmie ! Apprenez, madame la comtesse,
  qu'on ne baillonne pas une marquise à sa guise ! dit
  la marquise de Pompadouce.
– La porte, ô infâme marquise ! lui signifie la comtesse
  de Sécur, en guise de repartie...

5. ➤ Les pinces de M. Écrevisse

*Trouvez et corrigez les deux erreurs que M. Écrevisse
a volontairement commises dans son texte.*

L'accent circonflexe de la cime est-il tombé dans
l'abîme? Celà est plausible. Celui du pylone a-t-il été
emporté par un cyclône? Voilà qui est moins sûr.

6. ➤ Brasse-camarade

Vérifiez chaque mot en italique et corrigez-le, s'il y a lieu.

– Camarade Smirnoff! dit Terence Boulba, donnez-moi
   un couteau mieux *affuté* et remplacez ce verre ridicule
   par une *flûte*. Je vous ai commandé un steak tartare
   et du champagne, pas de la *choucroûte* et de la bière
   en *fût*!
– Je vois que le camarade Boulba est un client *fûté*,
   toujours *à l'affût* de la moindre erreur du serveur,
   lui répond sèchement Boris Smirnoff.

7. ➤ Quand le *u*... ment!

*Tous les adverbes en -ûment suivants prennent un accent
circonflexe sur le* u, *sauf deux qui n'en prennent pas.
Lesquels?*

assidûment	fichûment
congrûment	goulûment
continûment	incongrûment
crûment	indûment
dûment	prétendûment

8. ➤ **Quel sang-froid !**

Vérifiez chaque mot en italique et corrigez-le, s'il y a lieu.

Après une heure d'attente par un froid *glacial*, l'amoureux transi — le froid le *glaçait* comme un *glaçon* ! — consulta le thermomètre qu'il tenait entre ses doigts couverts de *gercures* et dit : « *Ç'est décidé*. À moins 20, si ma blonde n'est pas arrivée, je m'en vais ! »

9. ➤ **Médaille d'or ou couronne d'épines ?**

Quelle formulation (A, B ou C) complète la phrase correctement ?

« Gagner une médaille, _____ beaucoup d'importance pour moi, car c'est le couronnement de plusieurs années d'efforts et de sacrifices », dit une médaillée d'or.

A) ça a
B) c'a
C) ç'a

10. ➤ **Médaille de bronze ou de « bonze » ?**

Quelles formulations (A à D) peuvent compléter la phrase correctement ?

« Je suis fière de la médaille que j'ai gagnée, mais _____ si énervant que j'ai dû suivre un cours intensif de yoga pour me calmer ! », dit une médaillée de bronze.

A) ça été   C) c'a été
B) ça a été D) ç'a été

11. ➤ Pas de mystère à Percé

Trouvez et corrigez l'erreur que contient le texte suivant.

Le rocher Percé, que l'on a appelé jusqu'au xixe siècle l'« île Percée », constitue la pointe avancée d'une presqu'île. Il est relié à la terre ferme par une bande de sable presqu'invisible, que l'on peut apercevoir à marée basse.

12. ➤ Nouvelle histoire de Mouchette

Trouvez et corrigez l'erreur que contient la déclaration de Mouchette.

« J'ai lu le roman policier *Le Tue-mouches* avec quelqu'agacement, sinon quelque dégoût. J'accepte mal que quelqu'un tue une mouche sans penser à l'utiliser comme appât de pêche ! », dit Mouchette.

13. ➤ La voie du silence

Complétez le texte en utilisant le mot quoique *ou* quoiqu'.

_____ elle soit au sommet de la gloire, Céline a décidé de cesser temporairement de chanter. _____ irrévocable, sa décision pourrait être modifiée par des circonstances imprévisibles.

14. ➤ Pour l'amour de Colombine

Une seule des formulations suivantes (A à D) complète la phrase correctement. Laquelle ?

Au clair de la lune, Colombine frappe à la porte de son ami Pierrot et lui dit : « Ta plume, _____ pour l'amour de Dieu ! »

A) prête-moi la   C) prête-moi-la
B) prête-la moi   D) prête-la-moi

15. ➤ Pour l'amour de Pierrot

Quelle formulation (A, B ou C) complète la phrase correctement ?

Au clair de la lune, Pierrot frappe à la porte de son amie Colombine et lui dit : « Ma plume, _____ . Garde-la pour l'amour de Dieu ! »

A) rends-moi-la pas
B) rends-la-moi pas
C) ne me la rends pas

16. ➤ Une « tête à Papineau »

Trouvez et corrigez l'erreur que contient la déclaration de l'historien.

« Suis l'exemple de Papineau, ma chère Julie. Apprends à connaître les événements qui ont marqué notre histoire et souviens-t-en. Si tu as besoin d'informations sur la vie parlementaire, parle-m'en ! », dit Pacifique Drapeau à sa fille, fraîchement diplômée en histoire.

17. ➤ Le mot de passe des paparazzis

Trouvez le mot qui peut être associé à chacun des noms suivants et écrivez le nom simple ou composé qu'il sert à former.

appareil	interprétation
composition	roman
copie	synthèse

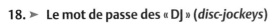

18. ➤ Le mot de passe des « DJ » (*disc-jockeys*)

Trouvez le préfixe grec signifiant « petit » qui peut être associé à chacun des noms suivants et écrivez le nom simple ou composé qu'il sert à former.

analyse	économie
biologie	informatique
climat	ordinateur

19. ➤ Le principe d'Archimède

Trouvez et corrigez les deux erreurs que contient le dialogue suivant.

– La robe de l'archiduchesse est-elle sèche ou archi-sèche ? demande l'archiduc à Archimède, le blanchisseur.

– La robe de madame est archi-sèche et archipropre, mais elle est aussi archi-usée, car elle a été archilavée. Cela est archiconnu dans tout l'archi-duché, répond Archimède, d'un ton archipoli.

20. ➤ **Ce n'est qu'un début, continuons le combat**

À l'aide des indices, trouvez le nom ou l'adjectif commençant par anti qui complète chaque phrase correctement.

1. Atchoum ! je vais prendre un _____ pour soigner mon asthme.

2. Tous les « biens » du gang Les Tatoués ont été saisis par la brigade _____ .

3. Le médecin a prescrit un _____ à un pompier souffrant d'une inflammation de la hanche.

4. Le sous-marin *Super Mike's* est équipé d'un appareil _____ qui lui permet de détecter la présence des sous-marins ennemis.

5. « Toute propagande dirigée contre le Québec nuit à l'unité canadienne. Je déplore toute forme de propagande _____ », a déclaré le premier ministre canadien.

21. ➤ **Le mot de passe des professionnels**

Trouvez le préfixe latin signifiant « pour, en faveur de » qui peut être associé à chacun des mots suivants et écrivez le mot simple ou composé qu'il sert à former.

allié   indépendantiste
chinois   libre-échange
fédéraliste   ZLEA

22. ➤ **Sauvé des eaux !**

Quel ensemble de mots (A, B ou C) complète la phrase correctement ?

Le petit Moïse a survécu à une grossesse _____ grâce à la circulation _____ que les médecins ont pratiquée.

A) extra-utérine, extra-corporelle
B) extrautérine, extracorporelle
C) extra-utérine, extracorporelle

23. ➤ **Haute gomme**

Quel ensemble de mots (A, B ou C) complète la phrase correctement ?

Chlorine Dentyne habite un appartement _____ d'où se dégage une odeur _____ de gomme de sapin.

A) ultrachic, ultraagréable
B) ultra-chic, ultra-agréable
C) ultrachic, ultra-agréable

24. ➤ **Triple sot !**

Trouvez et corrigez les deux erreurs que contient la déclaration du camelot.

« J'ai déchiré mon par-dessus en tentant de sauter par-dessus la clôture. Que j'ai été sot ! Ç'aurait été tellement plus simple de passer par-dessous ! dit Paulot. Heureusement que je portais un chandail en-dessous de mon vêtement ! »

25. ➤ Idées-lumière

Trouvez et corrigez l'erreur que contient la déclaration de l'animatrice.

« Chers téléspectateurs, chères téléspectatrices, l'émission qui va suivre vous permettra de voir le monde au delà des apparences de l'image. La vérité passera au travers de votre écran comme un rayon de soleil passe au travers d'un nuage », dit Mme B.

26. ➤ Le mot de passe des copains

Trouvez le préfixe latin signifiant « avec » qui peut être associé à chacun des noms suivants et écrivez le mot simple ou composé qu'il sert à former.

auteur	incidence	locataire
édition	inculpé	pilote

27. ➤ Allô, patron ! Yellow, bus !

Quel ensemble de mots (A, B ou C) complète la phrase correctement ?

L'hôtel La Diligence recherche un conducteur ou une conductrice _____ pour conduire le _____ qu'elle met à la disposition de sa clientèle.

A) multi-lingue, mini-bus
B) multilingue, minibus
C) multi-lingue, minibus

28. ➤ **Que serais-je sans toit ?**

Trouvez et corrigez l'erreur que contient la déclaration de la jeune Joséphine.

Joséphine dit au jeune Napoléon : « Lorsque je suis allée chez toi, j'ai trouvé que tu avais un beau chez-toi, même s'il est plus petit que mon chez-moi. L'important, c'est que chacun se sente bien chez-soi sous son toit, n'est-ce pas, mon petit Napoléon chéri ? »

29. ➤ **Blague à part**

Vérifiez si chaque expression en italique doit s'écrire avec ou sans trait d'union et faites, s'il y a lieu, la correction qui s'impose.

« J'ai la *quasi-certitude* que je suis un *non fumeur* modèle. Depuis un an, je n'ai grillé ni cigarette ni cigare et je n'ai mangé que de la viande *non-fumée*, ce qui est *non négligeable* pour un *ex-fumeur* ! », dit Jean Nicot en pouffant de rire.

30. ➤ **Un succès éclatant ou mitigé ?**

Vérifiez si le mot mi *doit s'écrire avec ou sans trait d'union et faites, s'il y a lieu, la correction qui s'impose.*

Chaque année à la *mi*-août, les Campbell organisent une épluchette de blé d'Inde dans une pièce *mi* grange, *mi* salle à manger. Les invités ont du foin à *mi* jambes et, *mi*-joyeux, *mi*-sérieux, ils mangent les épis *mi* par plaisir, *mi* par politesse.

31. ➤ Fuite d'eau et de capitaux

Quelles formulations (A à D) complètent la phrase correctement ?

Le plombier m'a dit que la réparation de la tuyauterie serait terminée _____ .

A) dans une demie-heure
B) dans une heure et demie
C) à midi et demi
D) à deux heures et demies

32. ➤ Bière qui coule n'amasse pas mousse !

Vérifiez chaque expression en italique et faites, s'il y a lieu, la correction qui s'impose.

– Nous avons bu la moitié de nos verres ; ils sont *demi-vides*. Est-ce qu'on en commande deux autres ? demande, *à demi voix*, un buveur à son compagnon.
– Non, pas tout de suite. Nos verres sont *à demi-pleins* si on tient compte de la mousse qui reste ! dit l'autre buveur, *à demi-mot*.
– Très bien, dit le premier. Attendons que nos verres soient aux *trois-quarts* vides !

33. ➤ Nouvelle histoire de Mouchette

Trouvez et corrigez les deux erreurs que contient la déclaration de Mouchette.

« Je suis née pêcheuse, c'est pourquoi je ne pêche jamais nu-tête et nus membres. Je préfère donner mon sang à la Croix-Rouge plutôt qu'aux moustiques ! », dit Mouchette, une pêcheuse née.

34. ➤ **Après le passage du facteur vent**

Quelles locutions (A à D) peuvent compléter la phrase correctement ?

Le vent a soufflé si fort que j'ai trouvé toutes les lettres de mon courrier gisant _____ sur la pelouse.

A) par-ci par-là   C) decà delà

B) deci delà   D) cà-et-là

35. ➤ **Un humour désarmant**

Une seule des expressions suivantes (A à F) complète la phrase correctement. Laquelle ?

Grand-mère Françoise a _____ ans, mais elle ne se dit pas encore prête à battre en retraite !

A) soixante-et-un   D) quatre-vingt-un

B) soixante douze   E) quatre vingt onze

C) quatre vingts   F) cent-un

36. ➤ **Le devoir de la presse**

Quelle phrase (A, B ou C) est écrite correctement ?

A) « Etre informé, c'est être libre », dit Eve,
une étudiante en journalisme à l'UQAM.
B) « Être informé, c'est être libre », dit Ève,
une étudiante en journalisme à l'UQAM.
C) « Etre informé, c'est être libre », dit Ève,
une étudiante en journalisme à l'UQÀM.

37. ➤ **Soyons brefs**

Donnez l'abréviation française des trois noms propres suivants.

A) États-Unis _____
B) Nouvelle-Écosse _____
C) Île-du-Prince-Édouard _____

38. ➤ **Pris sur le fait**

Trouvez et corrigez les deux erreurs que contient le dialogue suivant.

– En fait, vous riez. Au fait, qu'y-a-t-il de si drôle ? demande le professeur à un élève.

– Laissez-moi-vous expliquer, lui répond l'élève. Vous avez dit 15 fois « en fait » et 6 fois « au fait » en vingt et une minutes exactement !

39. ➤ **Le Petit « Centimet »**

Quel ensemble d'expressions (A, B ou C) complète la phrase correctement ?

« J'en ai _____ des règles de conversion du système métrique. J'en ai _____ ! », dit le Petit Poucet en montrant son pouce converti... en centimètres !

A) ras le bol, jusqu'à là
B) ras-le-bol, jusqu'à là
C) ras le bol, jusqu'à-là

40. ➤ **La pince de M. Écrevisse**

Trouvez et corrigez l'erreur que M. Écrevisse a volontairement commise dans son texte.

Le trophée Maurice-Richard honore la mémoire et les exploits du plus grand joueur de hockey de tous les temps. Si je n'étais pas à l'article de la mort, je créerais le prix Maurice Écrevisse pour flatter mon ego et joindre le club des grands Maurice !

Réponses ⟫→ 265

1. ➤ *Tous les mots suivants ne prennent pas d'accent sur la lettre e, sauf un qui prend un accent aigu (é). Lequel ?*

rebellion, registre, revolver, senior, télescope, veto

2. ➤ *Trouvez et corrigez les deux erreurs que contient la déclaration de Roméo.*

« Même si cela peut te donner l'impression que je rabache toujours le même poème, je profite de ce beau jour de Pâques pour te prouver sans ambiguïté que je t'aime », dit Roméo en tendant un bouquet de glaïeuls et de pâquerettes à Fleurette.

3. ➤ *Trouvez et corrigez les deux erreurs que contient le texte suivant.*

Créé par Sylvain Baumier, le logiciel *Épi-Net* répond ingénûment à toutes vos questions sur les conifères. Il vous suffit de cliquer sur l'icone en forme de cône d'épinette et une forêt de renseignements se dresse devant vous. Absolument génial !

4. ➤ *Quel ensemble de formulations (A, B ou C) complète la phrase correctement ?*

« Le mariage, _____ sa raison d'être même si le taux de divorce a _____ les 50 % », dit une psychologue matrimoniale.

A) c'a, presqu'atteint
B) ç'a, presqu'atteint
C) ça a, presque atteint

5. ➤ *Quel ensemble de formulations (A, B ou C) complète*
le texte correctement ?

« Si tu penses que je t'ai menti, _____ sans détours.
Si quelque chose t'inquiète, _____ franchement »,
dit un voleur à son complice.

A) dis-moi-le, parle-moi-s-en
B) dis-moi le, parle-m'en
C) dis-le-moi, parle-m'en

6. ➤ *Trouvez et corrigez l'erreur que contient la déclaration*
de l'avocat.

« Le coaccusé est non coupable. La preuve de sa non
culpabilité est quasi évidente », dit l'avocat de la défense.

7. ➤ *Quel ensemble de locutions (A, B ou C) complète*
la phrase correctement ?

Lorsque la température est _____ de zéro,
Marie-Madeleine met un jupon de laine _____
de sa robe « carreautée ».

A) au-dessous, en dessous
B) au dessous, en-dessous
C) au-dessous, en-dessous

131

8. ➤ *Quel ensemble de mots (A, B ou C) complète la phrase correctement?*

Le président d'Hydro-Québec a déclaré avec une certaine suffisance: « L'_____ du Québec en énergie _____ est assurée pour des années-lumière! »

A) auto-suffisance, hydro-électrique
B) autosuffisance, hydroélectrique
C) auto-suffisance, hydroélectrique

9. ➤ *Quel ensemble d'expressions (A, B ou C) complète le texte correctement?*

Avant de sonner les matines, le frère Jacques était _____ . Après avoir sonné la _____ de cloches, il était complètement réveillé.

A) à demi endormi, demi douzaine
B) à demi endormi, demi-douzaine
C) à demi-endormi, demie-douzaine

10. ➤ *Trouvez et corrigez l'erreur que contient le texte suivant.*

Bernard a trouvé un animal mi-chien, mi-lièvre qui avait une patte cassée. Il l'a soigné et gardé chez lui. Depuis que le drôle d'animal a retrouvé l'usage de sa patte et un chez soi, il s'est remis à courir comme un chien-né ou ... un lièvre-né!

Réponses ⮕ 265-266

Une table d'hôte
qui a « la pate legere » !

Pour accentuer le plaisir des clients au moment où ils choisissent leurs mets, le restaurant LA PATE LEGERE, situé dans la Vieille Capitale, propose un menu écrit en lettres majuscules non accentuées. Mettez les accents qui manquent dans le menu du restaurant et faites découvrir à votre palais les accents les plus savoureux de la langue française...

La Pate Legere

MENU DETAILLE

NOS ENTREES PRETES A MANGER

✧ PAPILLES DE LANGUE DE VIPERE NON VENIMEUSE,
SECHEES OU VINAIGREES. ✧

✧ CROUTONS DU GEOLIER DE QUEBEC,
SEMI-GRILLES OU SEMI-BRULES. ✧

✧ BATONNETS DE CELERI TREMPES
DANS UNE SAUCE SURE DE FROMAGE DE CHEVRE DE SILLERY. ✧

✧ MINICUISSES DE TETARD SALE EN EAU SAUMATRE ✧
(PATTES PALMEES D'OR AU FESTIVAL DE CANNES DE L'ANNEE DERNIERE).

NOS SOUPES AROMATIQUES

✧ CHAUDREE DU PECHEUR ✧
(MORCEAUX DE POISSONS DE CATEGORIE « A » VARIES
— SANS QUEUE NI TETE NI ARETES — ET ILOTS DE POMMES DE TERRE
RAPEES, BOUILLIS DANS DE L'EAU DE MAREE BASSE).

✧ SOUPE MAELSTROM ✧
(BOLEE TOURBILLON DE LEGUMES DU MARAICHER,
CULTIVES EN SERRE CHAUDE).

NOS SALADES FRAICHES

✧ SALADE A TI-D'AIL ✧
(SALADE PREFEREE DU CHEF, COMPOSEE DE LAITUE FRISEE ET DE GOUSSES
D'AIL CRYOGENIQUE HACHEES OU EN COMPRIMES).

✧ SALADE D'EPICURE ✧
(DELICIEUSE SALADE DE TAONS ET DE GUEPES NICHES DANS DE PALES
PETALES, DARDES DE FINES PIQURES ET AROMATISES DE NECTAR DE PECHE).

NOTRE TABLE D'HOTE A QUATRE BONNES PATES

⊶ PATES MOLLES SAUTEES A L'ERABLE ⊷

(CUITES DANS UN POELON A DEMI REMPLI DE SIROP DE BUCHES DE NOEL
PROVENANT D'UN ERABLE FRAIS SCIE).

⊶ PIZZA OMERTA ⊷

(CROUTE TOUTE GARNIE DE SALAMIS
DONT NOUS AVONS INTERET A TAIRE L'IDENTITE).

⊶ TRIPLE PATE NAPOLITAINE ⊷

(PATES A TROIS ETAGES COLORES — BLANCHATRE, JAUNATRE ET BRUNATRE —
DISPOSEES ET APPRETEES AU GOUT DU CLIENT).

⊶ PATE FROMAGEE A LA TETE DE LORD ⊷

(DROLE DE PATE RAGOUTANTE A L'AROME FUMANT,
CHOIX DE DIX TETES MODELES).

NOS DESSERTS ET BOISSONS INVITANT A LA SOBRIETE

⊶ GATEAU MILLE-ET-UNE-FEUILLES ⊷

(COMPOSE ENTIEREMENT DE FEUILLES DE PAPIER MACHE RECYCLE).

⊶ TARTE AUX MURES MURES ⊷

(SOUFFLEE A L'ANTIROT ET ENTARTREE D'UN PRODUIT ANTITARTRE
QUI EMAILLE LES DENTS GATEES).

⊶ THE ET CAFE BIEN ECHAUDES ⊷

(LAIT ECREME ET SUCCEDANE DE SUCRE SERVIS A VOLONTE).

⊶ VIN MAISON BLANC, ROUGE OU ROSE, ENVOUTANT ET PEU DEROUTANT ⊷

(APPELLATION, COULEUR ET TAUX D'ALCOOL CONTROLES A 0,08 %).

MENUS DETAILS

⊶ PRIX DU REPAS A DETERMINER LORS D'UN PREARRANGEMENT AVEC LE CLIENT ⊷

(DEPOT EN ARGENT LIQUIDE DANS LE POT DE VIN CACHE SOUS LA TABLE).

⊶ BONBONNE DE SURETE EN CAS DE BRULURES AIGUES D'ESTOMAC ⊷

(PLACEE SOUS LA TABLE, A COTE DU POT DE VIN).

BON APPETIT !

CHAPITRE 7

Les homonymes

Réponses ➠ 267-273

Autocorrection

1. ➤ Gens de même farine

Vérifiez chaque mot en italique et faites, s'il y a lieu,
la correction qui s'impose.

– *Ha !* que je suis fatigué des imitateurs,
ces « entartistes » des artistes ! dit un critique.

– *Ah* oui ! je suis fatigué des critiques, ces parasites
des artistes ! dit un imitateur.

– *Ha ! ha ! ha !* vous me faites bien rire ! *Ha !* si vous
saviez ce qu'on dit, entre artistes, des critiques
et des imitateurs ! dit un artiste.

2. ➤ Mise à pied

Complétez le texte en utilisant le mot eh !, hé ! *ou* et.

_____ quel ennui ! Les chauffeurs d'autobus ont
bel _____ bien déclenché une grève illimitée.
_____ bien ! je prendrai le taxi ! _____ taxi ! »,
dit un citoyen, la main en l'air et les pieds dans une
flaque d'eau...

3. ➤ Un cadeau du cyberciel

Vérifiez chaque mot en italique et faites, s'il y a lieu,
la correction qui s'impose.

– *Oh !* Jésus qui êtes au ciel, donnez-moi un logiciel
pour Noël ! dit un enfant faisant sa prière la veille
de Noël.

– *Ho !* quel enfant sage ! *Oh ! oh ! oh !* je monte tout de
suite au septième ciel chercher son cadeau ! *Oh oui !*
cet enfant le mérite bien ! dit le Père Noël en cliquant
sur l'icône « Ciel »...

4. ➤ Le « o-parleur »

*Deux des locutions suivantes (A à D) peuvent compléter
la phrase correctement. Lesquelles ?*

« _____ , où es-tu, monsieur Écho ? », s'amusaient à
crier les enfants. « O... o... o... », répondait chaque fois
monsieur Écho.

A) Ho ! ho !   C) Hé ! hé !

B) Oh ! oh !   D) Eh ! eh !

5. ➤ Histoire « loup-phoque »

Complétez le texte en utilisant euh ! *ou* heu !

– Madame Bardot, _____ que pensez-vous de la
photo, parue dans *Paris Matcho*, où l'on voit un bébé
phoque nager dans votre piscine ? lui demande un
journaliste.

– _____ je ne sais pas, car je ne lis jamais les journaux ! Si ce que vous dites est vrai, ce paparazzi n'em-
portera pas sa photo au papara... _____ paradis !
lui répond la vedette.

6. ➤ Un impair... de gants

*Quel ensemble de mots (A, B ou C) complète le texte
correctement ?*

C'est par _____ de conscience que Lorraine
a rapporté au magasin la paire de gants qui s'était ma-
lencontreusement glissée dans son sac à main. Cela est
désormais un fait _____ dans l'opinion publique.

A) acquis, acquis

B) acquis, acquit

C) acquit, acquis

7. ➤ L'école prise en grippe

Trouvez et corrigez l'erreur que contient la déclaration du directeur d'école.

« Hier, on a subi un brusque changement de température. Aujourd'hui, on compte moins d'élèves à l'école. Il en est ainsi après chaque changement subi de température », dit le directeur de l'école Anders-Celsius.

8. ➤ La pince de M. Écrevisse

Trouvez et corrigez l'erreur que M. Écrevisse a volontairement commise dans son texte.

Job cherche activement du travail ; son avenir en dépend. Il déteste vivre au dépend des autres et met tous ses espoirs dans le travail et la liberté à venir.

9. ➤ Vouvoyer ?

Vérifiez chaque mot ou chaque expression en italique et faites, s'il y a lieu, la correction qui s'impose.

– Ma chère Pâquerette, vous avez *malentendu* ce que je vous ai dit. Je ne voudrais pas que ce *malentendu* jette un froid entre nous.
– Mon cher Benoît, il n'y a pas de *malentendu* entre nous, mais un *différent*, ce qui est bien *différent*. Je ne veux plus vous vouvoyer, voyez-vous ?

10. ➤ Travail à la chaîne, chaîne au cou

*Quel ensemble de mots ou d'expressions (A, B ou C)
complète le texte correctement ?*

« J'ai fort _____ si je veux gagner la confiance
du patron. Il m'a dit que j'aurais _____ à lui
si je retardais encore la chaîne de travail », dit un
assembleur.

A) affaire, à faire
B) à faire, affaire
C) à faire, à faire

11. ➤ Les chaussures « à Didace »

Trouvez et corrigez l'erreur que contient le texte suivant.

« J'ai donné une bonne paire de chaussures au
Survenant, puis il est parti aussitôt. Je pense qu'on ne
le reverra pas de sitôt », dit le père Didace, déçu que
le Survenant soit parti sitôt.

12. ➤ Parole de saint Luc

*Trouvez et corrigez l'erreur que contient la déclaration de
l'auteur-compositeur.*

« Vénérée un siècle plutôt dans le célèbre roman de
Victor Hugo, Notre-Dame de Paris sera bientôt consacrée "patronne des comédies musicales" », a déclaré,
plutôt ému, Luc Starmania en recevant un trophée
Victoire.

13. ➤ Pluie d'injures

*Quel ensemble de mots ou d'expressions (A, B ou C)
complète le texte correctement ?*

Il pleuvait _____ dans le château du roi
Taillibert. Fâché, il dit à saint Éloi :
« Quel _____ a mis la calotte de mon château
à l'envers ? »

A) à verse, sans-dessein
B) averse, sans-dessein
C) averse, sans dessin

14. ➤ Grand parleur, petit faiseur

*Trouvez et corrigez l'erreur que contient la déclaration
de l'ex-fiancée.*

Après avoir rompu ses fiançailles avec Réjean,
Marguerite confia d'un ton amer à sa mère : « Je ne
me laisserai plus tromper parce que les gens disent,
parce que maintenant je sais que les gens ne font pas
toujours ce qu'ils disent. »

15. ➤ Des guerres saintes à la sainte paix

*Vérifiez chaque mot ou chaque expression en italique
et faites, s'il y a lieu, la correction qui s'impose.*

– Papa, si je me souviens bien, tu as dit *quelquefois* que
   tu croyais à la paix mais, *d'autrefois*, tu as dit que tu
   n'y croyais pas, dit Julie.
– Pas exactement, ma chère Julie. Aujourd'hui, il
   m'arrive *quelquefois* de croire en la paix alors que,
   autrefois, je n'y croyais pas du tout, dit Pacifique
   Drapeau.

16. ➤ **Congé mystère**

Quel ensemble de mots ou d'expressions (A, B ou C) complète le texte correctement ?

Les enfants ne savent pas _____ ils ont eu congé lundi dernier. Ils ont peut-être oublié _____ ils ont eu congé, mais cela ne les a pas empêchés de s'amuser.

A) pourquoi, ce pourquoi
B) pour quoi, ce pourquoi
C) pourquoi, ce pour quoi

17. ➤ **L'arche de Zoé**

Vérifiez chaque mot ou chaque expression en italique et faites, s'il y a lieu, la correction qui s'impose.

Quoique cela comporte certains risques, Zoé possède un chien, un chat, un oiseau et une souris blanche à la maison. *Quoi qu'*on dise, les animaux sont capables de cohabiter. *Quoiqu'*il en soit, Guilli, Boitout, Siffleux et Missouris se sentent tous bien en compagnie de Zoé.

18. ➤ **Alimentaire, mon cher Watson !**

Trouvez et corrigez l'erreur que contient le texte suivant.

« Quelque bien nourris que soient les prisonniers, ils nourrissent toujours une vengeance contre le détective qui les a arrêtés. Quelque soit la nourriture qu'on leur donne, les prisonniers ont toujours soif de vengeance », dit Sherlock Holmes, fier d'avoir fait écrouer quelque cent criminels endurcis.

19. ➤ Tell père, Tell fils

Quel ensemble d'expressions (A, B ou C) complète le texte correctement ?

« Papa, raconte-moi l'histoire de Guillaume Tell _____ s'est déroulée. Si tu ne me racontes pas l'histoire _____ , je ne suivrai plus tes leçons de tir à l'arc ! », dit Guillaume à son père.

A) telle qu'elle, telle quelle
B) telle quelle, telle qu'elle
C) telle quelle, telle quelle

20. ➤ L'art de tuer le temps

Trouvez et corrigez les deux erreurs que contient la déclaration du paresseux.

« Quand on s'étend un temps soit peu sur le sujet, on se rend compte que ça ne vaut pas la peine de se tuer à l'ouvrage. Tant qu'à se tuer à l'ouvrage, aussi bien rester chez soi à ne rien faire. Tant qu'à moi, je ne fais rien et je m'en porte très bien », dit Jos Lazyboy.

21. ➤ Un gaucher très adroit

Vérifiez chaque mot ou chaque expression en italique et faites, s'il y a lieu, la correction qui s'impose.

Un lanceur gaucher dit : « Au baseball, le lanceur gaucher est *peut-être* avantagé, car la plupart des frappeurs sont droitiers. Par contre, tout lanceur, qu'il soit gaucher ou droitier, *peut-être* désavantagé s'il s'est levé du pied gauche. Cela va de *soit* ! »

22. ➤ Un « bourreau » de travail

Trouvez et corrigez l'erreur que contient le texte suivant.

Monsieur Pilon travaille sans bon sens et, il va sans dire, son bureau est toujours sans dessus dessous.

23. ➤ La longévité par les crudités

Vérifiez chaque mot en italique et faites, s'il y a lieu, la correction qui s'impose.

« Je ne mange que les légumes *crus* qui ont *cru* dans mon potager. J'ai toujours *cru*, pour employer une formule de mon *crû*, qu'on doit se nourrir de façon naturelle si on veut mourir de mort naturelle », dit Marie Granola.

24. ➤ Un problème de taille

Trouvez et corrigez les deux erreurs que contient la déclaration de la présidente.

« Les syndiqués ont dû se serrer la ceinture parce que les patrons ne leur ont pas payé leur du. Une chose promise est une chose dûe, et nous leur ferons payer cher ce retard indu ! », dit la présidente du Syndicat du vêtement, dans une déclaration à l'emporte-pièce.

25. ➤ La course autour du parc La Fontaine

Trouvez et corrigez l'erreur que contient le texte suivant.

« N'eut été ses fanfaronnades, le lièvre eût gagné la course », dit humblement la tortue après qu'elle eut remporté la victoire de justesse.

26. ➤ L'ambassadeur enchanteur

Complétez le texte en utilisant le verbe fut *ou* fût.

Félix Leclerc _____ un grand ambassadeur du Québec. Grand ambassadeur s'il en _____ , il contribua à faire connaître le Québec dans la francophonie. Cet ambassadeur, _____ -il le plus grand, joua son rôle avec autant de brio que d'humilité.

27. ➤ Peau en pot

Quel ensemble de mots (A, B ou C) complète le texte correctement ?

Maxime a trouvé une _____ de couleuvre au bord de l'eau. _____ par la curiosité, il l'a mise dans un pot pour la montrer à ses amis.

A) mue, mu
B) mue, mû
C) mûe, mu

28. ➤ **Nouvelle histoire de Mouchette**

*Trouvez et corrigez les deux erreurs que contient
la déclaration de Mouchette.*

« Tandis que je pêchais nonchalamment, plongée dans
mes pensées, j'ai vu tout d'un coup un martin-
pêcheur plongé en piqué dans l'eau. Au sortir de sa
plongée, il tenait un superbe poisson dans son bec.
Ah ! si Martin, mon mari, avait vu ça ! », dit
Mouchette, complètement stupéfaite.

29. ➤ **Langue de bois franc**

*Quel ensemble de mots (A, B ou C) complète le texte
correctement ?*

Au cours d'un _____ avec le premier ministre
du Québec, le président de la France a déclaré : « La
France _____ entièrement la cause du Québec,
dans une franche attitude de non-ingérence
et de non-indifférence. »

A) entretient, appui
B) entretient, appuie
C) entretien, appuie

30. ➤ Chansonnette

*Vérifiez chaque mot en italique et faites, s'il y a lieu,
la correction qui s'impose.*

Près de la fontaine, un oiseau chantait.
Ses petits, à la volette, jouaient tout *près*.
« Mes petits, qui êtes *prêts* de me quitter,
Vous n'êtes pas, à la volette, *prêts* à voler. »
Un renard, à la brochette, les a bouffés !

31. ➤ Histoire à dormir debout

*Quel ensemble de mots (A, B ou C) complète le texte
correctement ?*

« Je n'ai pas vu un seul _____ de la journée »,
dit un épouvantail qui _____ aux corneilles.

A) volatil, bâillait
B) volatile, bayait
C) volatile, bâyait

32. ➤ La pince de M. Écrevisse

*Trouvez et corrigez l'erreur que M. Écrevisse
a volontairement commise dans son texte.*

M. Flamingo est un aviculteur sensé. Il se lève au chant
du coq et se couche à l'heure des poules. Ce genre
de vie a l'heure de lui plaire.

33. ➤ **Spielberg confondu, du, du !**

Quel ensemble de mots (A, B ou C) complète le texte correctement ?

Le Capitaine Bonhomme a déclaré à son jeune auditoire plutôt _____ : « J'ai refusé le rôle du Capitaine Crochet dans le film de Spielberg, car j'ai voulu donner la chance aux autres acteurs en _____ ! »

A) septique, liste
B) sceptique, liste
C) sceptique, lice

34. ➤ **Marcher à pas de Milou**

Quel ensemble de mots (A, B ou C) complète la phrase correctement ?

Dès que le _____ est tombé, Tintin emmène Milou faire une _____ dans les jardins de Moulinsart.

A) serein, balade
B) serein, ballade
C) serin, balade

35. ➤ Cinéma en plein air

Trouvez et corrigez les deux erreurs que contient le dialogue suivant.

– Je suis l'homme le plus fort mais, dans mon fort intérieur, je sais que le krypton peut faire de moi l'homme le plus faible, dit le Surhomme.

– C'est là que le bas blesse. Bah ! ne vous en faites pas ! Toute vie a ses hauts et ses bas ! lui dit la Sœur volante, pour le consoler.

36. ➤ Action de grâce

Lequel des noms suivants (A à D) complète la phrase correctement ?

Josée Chouinard prit son élan, puis se laissa glisser gracieusement sur son _____ d'aller.

A) air   C) ère
B) aire   D) erre

37. ➤ Méchant regard !

Quel ensemble de mots (A, B ou C) complète la phrase correctement ?

« Je ne veux pas faire _____ mes verres de contact en vert, car j'ai les yeux _____ et, la plupart du temps, ils sont verts ! », dit un client à son optométriste.

A) tinter, pairs
B) teinter, paires
C) teinter, pers

38. ➤ Chasse aux requins de la finance

Complétez le texte en utilisant le mot fond *ou* fonds.

Le ministre de l'Environnement a déclaré : « Le gouvernement a créé un _____ particulier qui permettra aux chercheurs d'étudier à _____ le _____ marin du Saint-Laurent, que des capitalistes ont pollué sans vergogne. »

39. ➤ Nouvelle histoire de Mouchette

Trouvez et corrigez l'erreur que contient la déclaration de Mouchette.

« La première fois que Martin m'a prise dans ses bras, il m'a dit : "Tu as des appâts irrésistibles." Je lui ai répondu : "Attends de voir mes appâts de pêche !" », dit Mouchette en évoquant avec émotion la rencontre de son mari, Martin Lamourette.

40. ➤ Les pinces de M. Écrevisse

Trouvez et corrigez les deux erreurs que M. Écrevisse a volontairement commises dans son texte.

On dit qu'autrefois un jeune qui portait un blouson de cuir était considéré comme un dur à cuir et mis au banc de la société. Cela est sans doute vrai, mais je me méfie des on-dit.

Réponses ➠➜ 274

Autoévaluation

1. ➤ *Quel ensemble d'interjections (A, B ou C) complète le texte correctement ?*

_____ ! que la vie est belle, Françoise ! _____ ! qu'avez-vous donc à tant pleurer ?

A) Eh, Ha
B) Eh, Ah
C) Hé, Ha

2. ➤ *Trouvez et corrigez l'erreur que contient le texte suivant.*

Par acquis de conscience, le gouvernement s'engage à respecter les droits acquis des syndiqués. Il a acquis la certitude que c'était la meilleure attitude à adopter avant les élections.

3. ➤ *Deux des mots ou des groupes de mots suivants (A à D) peuvent compléter la phrase correctement. Lesquels ?*

_____ la première neige tombée, les skieurs montent à l'assaut des pentes de ski.

A) sitôt
B) si tôt
C) aussitôt
D) aussi tôt

4. ➤ *Trouvez et corrigez les deux erreurs que contient la déclaration du critique d'art.*

« Je crois que l'on a à faire à un réseau de faussaires plutôt bien organisé. Je dois admettre que le faux Lemieux que j'ai acheté une semaine plutôt est des mieux réussis ! », dit un critique d'art... naïf.

5. ➤ *Quel ensemble de mots (A, B ou C) complète le texte correctement ?*

Au moment d'entrer en scène, Claude a ressenti un malaise _____ . À contrecœur, il a _____ annuler son spectacle.

A) subit, dut
B) subi, du
C) subit, dû

6. ➤ *Trouvez et corrigez l'erreur que contient la déclaration de Linda.*

« Je suis encore secouée parce que j'ai lu dans le journal *Mardi Potins*. On dit que je me suis séparée de Patrick à la suite d'un différend concernant les règles du jeu *La Fureur*. Quel dégoûtant ragot ! », dit Linda en déchirant le journal avec fureur.

7. ➤ *Quel ensemble de mots (A, B ou C) complète le texte correctement ?*

Le roman *Menaud, maître draveur* raconte la vie des draveurs _____ se déroulait autrefois. La vie de ces héros ne tombera pas dans l' _____ .

A) telle qu'elle, oubli
B) tel qu'elle, oubli
C) telle quelle, oublie

8. ➤ *Quel ensemble d'expressions (A, B ou C) complète le texte correctement ?*

_____ , le Tyrannosaurus rex aperçut une Corvette conduite par un homme de « Cro-Mognon ».
Il les avala _____ !

A) Tout à coup, tout à coup
B) Tout à coup, tout d'un coup
C) Tout d'un coup, tout à coup

9. ➤ *Trouvez et corrigez l'erreur que contient la déclaration de Martin.*

« Le 1er avril, ce sera l'anniversaire de Mouchette. Tant qu'à faire un cadeau, aussi bien qu'il soit original. Tant qu'à moi, je suis sûr que mon poème en vers de douze pieds la fera sauter de joie ! », dit Martin Lamourette, tout frétillant de plaisir.

10. ➤ *Quel ensemble d'expressions (A, B ou C) complète le texte correctement ?*

_____ sa vigilance, le camionneur aurait heurté l'orignal de plein fouet, et le panache de l'animal, magnifique _____ , se serait probablement retrouvé sur le capot !

A) N'eut été, s'il en fût
B) N'eût été, s'il en fût
C) N'eût été, s'il en fut

Réponses ⟹ 274

Le « désespéranto » de M. Perfecto

Le texte suivant a été écrit par M. Augusto Perfecto, un typographe-correcteur réputé pour son perfectionnisme. Dans ce texte, M. Perfecto raconte sa mésaventure avec un éditeur, en utilisant le « désespéranto », langage qu'il a créé pour dénoncer la piètre qualité du français parlé et écrit dans son milieu de travail.

Déchiffrez le texte de M. Perfecto et vous comprendrez pourquoi le livre qu'il désirait publier en langage « désespéranto » n'a jamais pu voir le jour...

Mes coquilles

Îlet tête 1 foie 1 ti-peau grafe qu'Yaveh dé 6 dés décrire 1 rockœil de tex
Pluto k-casses, dent le quel se trou vrai laid 1000 liés de k-quilles qui lavait
à Massé Durand ça Bell car hier.

L'orsque l'ôteur u terre minée sont nouvrage, île le pré 100 tas a
Sonyditeur an 10 ans : « Voix scie *Mes coquilles*. Se livret rang plie de fotes,
saufs le tite Quillet 100 fotes. Îlet le fruie de mont nex-périense. Se ce rat
le Baie-Zeller de l'âne-né, ah cou sur. »

Sonyditeur rit Gaulla, puits 10 : « Toussera v rit fié part nos ex-pairs dent
lait plut bref des laits. Jean verrez an suite vôtre chef-d'œuf Alain prix me
rit. Signet Issy. »

1 moi plutaure, le ti-peau grafe re-sue sont live Allah mais sont. Eh lace !
Sonyditeur ave laid c 1 k-quille dent le tite du live : là laitre q ave10 par u !

Mes coquilles

CHAPITRE 8

Les mots pièges de la grammaire

Réponses ➠➔ 275-281

Autocorrection

1. ➤ Une question claire

Trouvez et corrigez l'erreur que contient le texte suivant.

Selon une rumeur provenant de la colline parlementaire, le gouvernement canadien s'apprêterait à poser aux Québécois la question référendaire suivante : « À ce moment-ici, que voulez-vous, les Laurentides ou les Rocheuses ? »

2. ➤ Un prof sans couvre-chef

Vérifiez chaque mot en italique et faites, s'il y a lieu, la correction qui s'impose.

– *Voici* mon opinion sur le port de la casquette en classe : je suis contre. Que *ceci* soit bien compris ! dit, en posant sa casquette sur le bureau, un enseignant à ses élèves.
– *Ceci* étant dit, est-ce que je peux garder la casquette que je porte en ce moment ? lui demande un élève.
– Bien entendu ! Je suis contre le port de la casquette en classe, mais *cela* ne signifie pas que je vous interdis d'en porter une ! *Voilà* le fond de ma pensée, conclut l'enseignant.

3. ➤ Bas... bas de gamme ?

Trouvez et corrigez l'erreur que contient la déclaration de la vendeuse.

« J'ai expliqué à une cliente que, tous les lundis, elle pouvait acheter trois bas pour le prix de deux. La madame était excessivement contente ! », dit la responsable du rayon « Bas et chaussettes », chez Wow Mark.

4. ➤ La belle Provence

Dans laquelle des phrases suivantes (A, B ou C) doit-on écrire pouvait *et non* pourrait *?*

A) Carole a demandé à la directrice de son école si elle *pourrait* prendre un congé sabbatique l'an prochain.
B) Elle se demandait si elle *pourrait*, à cette occasion, aller voir ses amis en Provence.
C) Elle irait voir ses amis en Provence si elle *pourrait* prendre un congé sabbatique.

5. ➤ Radio-Canada FM !

Trouvez et corrigez les deux erreurs que contient le texte suivant.

« Christiane, dis-moi c'est quoi ton poste préféré. Si tu me donnes la bonne réponse, je te dirai qu'est-ce que tu as gagné », dit Normand Belhumeur à une auditrice qui n'en croyait pas ses oreilles…

6. ➤ Souliers à talons hauts… haut de gamme ?

Quel ensemble de mots (A, B ou C) complète le texte correctement ?

« Lundi dernier, j'ai vendu à une cliente trois souliers pour neuf dollars, soit trois dollars _____ . Ce n'est pas dans _____ magasin qu'on trouve des souliers à talons hauts à si bas prix ! », dit, très contente, la vendeuse du rayon « Chaussons et chaussures », chez Wow Mark.

A) chaque, n'importe quel
B) chaque, n'importe lequel
C) chacun, n'importe quel

7. ➤ Multiplication des fautes

*Trouvez et corrigez les deux erreurs que contient
la déclaration du père.*

« Je suis conscient que mon fils a toujours été plus bon
en mathématique qu'en français mais, depuis que vous
lui enseignez, j'ai l'impression que son orthographe va
de mal en pire », dit un père à l'enseignante de son fils.

8. ➤ Nouvelle histoire de Mouchette

*Trouvez et corrigez les deux erreurs que contient
la déclaration de Mouchette.*

« Martin m'a demandé : "As-tu aimé le poème que j'ai
composé pour ton anniversaire ?" Je lui ai répondu :
"Oui, je l'ai trouvé magnifique. Tu n'es pas sans ignorer
que je déteste les poèmes mi-chair, mi-poisson !" », dit
Mouchette en pensant à son mari adoré.

9. ➤ Problème de critiques

Dans laquelle des phrases suivantes (A, B ou C) doit-on écrire
dont *et non* que *?*

A) Certains critiques n'aiment pas les chansons *que* Lara
chante.
B) D'autres critiques n'aiment pas la façon *que* Lara
s'habille.
C) C'est de la mauvaise foi des critiques *que* Lara
se plaint le plus.

10. ➤ Histoire de « têtes à Papineau »

Quel ensemble de mots (A, B ou C) complète le texte correctement ?

« Lis *Le Roman de Julie Papineau*. Tu verras _____ il est intéressant. Fie-toi _____ moi », dit Pacifique Drapeau, dans un tête-à-tête avec sa fille.

A) comment, sur
B) comment, à
C) combien, à

11. ➤ Ah ! les petits monstres !

Trouvez et corrigez les deux erreurs que contient la déclaration du garçon.

« Papa, j'aurais de besoin de vieux vêtements pour la fête de l'Halloween. Si tu n'en as pas, je devrai aller frapper à la porte de d'autres vieux du voisinage pour en trouver ! », dit un fils à son père, horrifié de l'entendre.

12. ➤ Vive ma compagnie !

Laquelle des phrases suivantes (A, B ou C) est construite correctement ?

A) Le gouvernement enjoint aux jeunes diplômés de créer leur propre emploi.
B) Le gouvernement enjoint les jeunes diplômés de créer leur propre emploi.
C) Le gouvernement enjoint les jeunes diplômés à créer leur propre emploi.

13. ➤ Les pinces de M. Écrevisse

Trouvez et corrigez les deux erreurs que M. Écrevisse a volontairement commises dans son texte.

On prétend que soixante et deux pour cent des élèves de la polyvalente Jean-Narrache auraient échoué leur examen de français si leurs notes n'avaient pas été normalisées...

14. ➤ Un choix qui laisse froid

Laquelle des expressions suivantes (A, B, C ou D) complète la phrase correctement ?

«Demain, il fera _____ , en degrés Celsius ou en degrés Fahrenheit, à votre choix», dit le météorologue Romulus Nimbus aux téléspectateurs.

A) moins quarante sous zéro
B) quarante au-dessous de zéro
C) quarante sous zéro
D) quarante en bas de zéro

15. ➤ Sacré Charlemagne !

Quel ensemble de prépositions (A, B ou C) complète le texte correctement ?

«J'ai toujours l'impression que ma fille va à l'école _____ reculons. Heureusement, elle s'y rend à pied et non _____ bicyclette !», dit Charlemagne à la directrice de l'école.

A) de, à
B) à, à
C) à, en

16. ➤ **Le temps d'une dinde**

Quelle expression (A, B ou C) complète la phrase correctement ?

Mr. Bean a fait cuire une grosse dinde, car il attend _____ personnes pour le réveillon de Noël.

A) de quinze à seize
B) entre quinze et seize
C) quinze ou seize personnes

17. ➤ **La fièvre du samedi soir**

Quel ensemble de compléments (A, B ou C) complète la phrase correctement ?

« Est-ce que tu vas _____ ? J'aimerais aller danser avec toi à la discothèque », dit Roméo en prenant Fleurette par la taille.

A) quelque part ce soir
B) en quelque part ce soir
C) en quelque part à soir

18. ➤ **Cœur de rockeur**

Trouvez et corrigez les deux erreurs que contient la déclaration du chanteur.

« Je débute toujours ma journée en buvant trois cafés noirs, dit un chanteur rock. Je me sens mieux inspiré quand le cœur me débat ! »

19. ➤ Un rayon de soleil dans le rayon des vêtements

*Trouvez et corrigez les deux erreurs que contient
la déclaration de la vendeuse.*

« Lundi dernier, j'ai vendu une paire de pantalons bleu
marin à un soldat de la marine. Il avait de beaux yeux
bleu ciel mais ça, comme on dit, c'est une autre paire
de manches ! », dit, toute contente, la responsable du
rayon « Vêtements bleus », chez Wow Mark.

20. ➤ Quel blanc-bec !

*Trouvez et corrigez les deux erreurs que contient
la déclaration de l'humoriste.*

« L'autre jour, un de mes amis m'a raconté une blague
raciste. Je ne l'ai pas rie du tout. Je lui ai dit : "Toi qui
te dis féru en humour, tu devrais être capable de faire
la différence entre l'humour noir et l'humour contre
les Noirs" », dit l'humoriste Jean-Guy Marrant.

21. ➤ Les pinces de M. Écrevisse

*Trouvez et corrigez les deux erreurs que M. Écrevisse
a volontairement commises dans son texte.*

« Madame Agathe Pica. Suite à notre conversation
téléphonique d'hier, je confirme que j'ai l'intention de
recourir aux services de votre "Maison de correction".
En attendant, je vous serais gré de corriger les deux
fautes que contient mon message télécopié.

22. ➤ Le club des deux ouates

*Quel ensemble de mots ou d'expressions (A, B ou C)
complète le texte correctement ?*

Pour _____ un problème de ronflement, Luc
se met de la ouate dans les oreilles. Il prétend que ça
_____ aide à dormir en paix.

A) pallier à, lui
B) pallier, l'
C) pallier à, l'

23. ➤ La pince de M. Écrevisse

*Trouvez et corrigez l'erreur que M. Écrevisse
a volontairement commise dans son texte.*

Enseigner, c'est apprendre à écouter et parler aux
élèves. Certains enseignants savent tout, mais hélas !
ils n'apprennent rien !

24. ➤ Nouvelle histoire de Mouchette

*Trouvez et corrigez l'erreur que contient la déclaration
de Mouchette.*

« Martin a fait cuire un saumon. Il était brûlé au
troisième degré. J'en suis restée bouche bée ! », dit
Mouchette en servant des amuse-gueule à sa brochette
d'invités.

25. ➤ L'accord du lac Moche

Complétez le texte en utilisant le pronom se ou nous.

« Le gouvernement fédéral, en accord avec le gouvernement provincial, nous permet de _____ laver dans le lac Moche, mais il nous interdit de _____ y baigner. Dorénavant, on pourra _____ laver dans le lac Moche à condition de ne pas trop _____ mouiller ! », dit le président de l'Association des propriétaires du lac Moche.

26. ➤ Une sage fille

Trouvez et corrigez les deux erreurs que contient la déclaration de la jeune fille.

« Même si mes idées et mes goûts ne sont pas pareils comme ceux de mes parents, je ne fais jamais exprès pour les contredire. Je n'ai jamais eu l'intention de me les mettre à dos », dit Mado, une sage « ado ».

27. ➤ Quel précipi............. ce ?

Trouvez et corrigez les deux erreurs que contient la déclaration de l'oiseau.

« J'avais dit au coyote : "Si tu fais un pas en avant, tu le regretteras." J'avais ajouté en plus : "Il y a un précipice." Hélas ! le stupide coyote ne m'a pas écouté ! », dit Bip ! Bip !

28. ➤ **Médium payant**

*Trouvez et corrigez les deux erreurs que contient
la déclaration de la voyante.*

« À l'école de voyance *Nostradamuse*, on vous apprend
à prédire à l'avance tous les événements importants de
votre vie, comme par exemple l'année de votre
mariage ou de votre divorce, le nombre d'enfants que
vous aurez, les diplômes que vous obtiendrez, etc.
Voyez-vous ce que je veux dire ? », dit Jojo
Nostradamuse dans un message télévisé.

29. ➤ **Un passager peu turbulent**

*Trouvez et corrigez les deux erreurs que contient
la déclaration du passager.*

« Je ne me lève jamais debout quand je suis dans un
avion. J'ai trop peur d'être éjecté hors de l'appareil »,
dit un passager craintif à l'hôtesse de l'air qui
l'accueille.

30. ➤ **De quel côté penchez-vous ?**

*Dans laquelle des phrases suivantes (A, B, C ou D)
doit-on écrire a et non ait ?*

A) Le pessimiste doute que la vie *ait* de bons côtés.
B) « Je crains que la vie n'*ait* que de mauvais côtés »,
dit-il.
C) L'optimiste est certain que la vie *ait* de bons côtés.
D) « Je me réjouis que la vie n'*ait* pas que de mauvais
côtés », dit-il.

31. ➤ Minute, moumoute !

Trouvez et corrigez les deux erreurs que contient le texte suivant.

Après qu'il ait enlevé son chapeau, M. Chauvin demanda au coiffeur : « Pourriez-vous couper en quatre les quatre cheveux qu'il me reste, avant qu'il ne soit trop tard ? Soyez sans crainte, je vous paierai pour ! »

32. ➤ L'Auto-Québec

Trouvez et corrigez les deux erreurs que contient le dialogue suivant.

– Bonjour, monsieur Lamoureux. Quelle belle auto neuve vous avez ! Ça l'a l'air que les affaires roulent bien ! dit monsieur Bontemps.
– Les affaires roulent bien, en effet. Mais, à vrai dire, ça l'a aucun rapport : mon auto, je l'ai gagnée à la loterie !

33. ➤ Est-ce que ce sera long à venir ?

Dans laquelle des phrases suivantes (A, B, C ou D) doit-on écrire on *et non* l'on *?*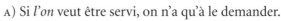

A) Si *l'on* veut être servi, on n'a qu'à le demander.
B) Demandez et *l'on* vous servira.
C) On mange et *l'on* libère la place.
D) Alors, qu'est-ce que *l'on* vous sert ?

34. ➤ **Molson 6, Labatt .5**

Trouvez et corrigez les deux erreurs que contient le dialogue suivant.

– Dis-moi, Télésphore, penses-tu que ça va être possible d'acheter des billets pour le match de ce soir?

– Impossible, Jean-Maurice. J'ai essayé d'aller n'en chercher, mais la file d'attente était trop longue.

– Qu'est-ce qu'on va faire si on n'en a pas?

– On ira regarder le match à la *Cabane aux sports*. Il paraît que la bière va-t-être gratuite si le Canadien gagne!

35. ➤ **Le tempo de l'hiver**

Dans laquelle des phrases suivantes (A, B, C ou D) le mot ne ou n' doit-il être omis?

A) Lionel doit installer son abri d'auto avant que la première neige *ne* tombe.

B) Il craint qu'il *ne* puisse installer son abri d'auto à temps.

C) « Je l'installerai samedi à moins qu'un contretemps *ne* m'en empêche », dit-il.

D) La première neige est tombée sans que Lionel *n'*ait pu installer l'abri.

36. ➤ Un couple bien assorti

Trouvez et corrigez les deux erreurs que contient le dialogue suivant.

– Si tu décides d'aller chanter à Memphis au mois d'août, parle-moi-s-en. Je serais très déçue si tu ne m'invitais pas à aller chanter là-bas avec toi, dit Priscilla Taillefer.

– Fais-toi-s-en pas, ma belle. Tu es la seule chanteuse que j'inviterais. Les artistes canadiens-français d'Amérique franco-québécoise doivent s'entraider ! dit Elvis Creton.

37. ➤ Familles divisées

Trouvez et corrigez les deux erreurs que contient le texte suivant.

«En un quart de siècle, le taux de natalité dans les sociétés occidentales est passé de 4,1 enfants à 1,4 enfants par famille», dit le démographe Jacques-Henri Pépin à sa tendre moitié et à ses quatres enfants chéris.

38. ➤ **Un « menteur-nez »**

Deux des quatre expressions suivantes (A, B, C et D) peuvent compléter la phrase correctement. Lesquelles ?

« Je n'ai dit qu'un mensonge, et mon nez a poussé de _____ . Je ne comprendrai jamais rien au système métrique ! », dit Pinocchio à son maître, incrédule.

A) 2 centimètres   C) 2 cm
B) deux centimètres   D) deux cm

39. ➤ **La planète des hommes-singes**

Quel ensemble d'articles (A, B ou C) complète le texte correctement ?

« _____ yeti ne descend pas de la même branche que moi, car il a peur _____ ouistiti ! », dit Sasquatch, l'homme-singe des Rocheuses.

A) L', de l'
B) Le, du
C) Le, de l'

40. ➤ **La pince de M. Écrevisse**

Trouvez et corrigez les deux erreurs que M. Écrevisse a volontairement commises dans son texte.

L'autre jour, j'ai entendu un cri d'oiseau empreint d'une grande tristesse. Cet hululement mélancolique provenait sans doute d'une jeune tourterelle triste mariée à un vieil hibou !

Réponses ⟫→ 282

Autoévaluation

1. ➤ *Trouvez et corrigez les deux erreurs que contient
la déclaration de l'historien.*

« Je suis contre la peine de mort. Ceci étant dit, je ne
serais m'opposer à l'exécution des criminels de guerre »,
a déclaré Pacifique Drapeau lors du congrès *Crimes et
châtiments, guerre et paix.*

2. ➤ *Quel ensemble de mots (A, B ou C) complète le texte
correctement ?*

« Je serais _____ heureuse si, un jour, tu _____
imitatrice comme moi », dit Claudine
à sa fille.

A) excessivement, deviendrais
B) excessivement, devenais
C) très, devenais

3. ➤ *Laquelle des expressions suivantes (A, B, C ou D) complète
la phrase correctement ?*

« Cesse de tourner autour du pot et dis-moi _____
tu veux », dit Fleurette à son ami Roméo.

A) ce que   C) c'est quoi que
B) c'est quoi   D) qu'est-ce que

4. ➤ *Trouvez et corrigez les deux erreurs que contient
la déclaration du gamin.*

« Sais-tu comment j'ai payé les deux chandails que j'ai
achetés chez Proteau ? Je les ai payés seulement deux
dollars chaque ! », dit Gaminet à sa sœur Gaminette.

5. ➤ *Quel ensemble de mots (A, B ou C) complète le texte correctement ?*

Un vendeur d'automobiles dit à une cliente :
« _____ de nos voitures a une garantie illimitée.
Dépêchez-vous d'en profiter, car notre offre se termine
_____ soir. »

A) N'importe quelle, à
B) N'importe laquelle, ce
C) N'importe quelle, ce

6. ➤ *Quelle phrase (A, B ou C) est écrite correctement ?*

A) C'est d'espoir que les humains ont
le plus besoin pour vivre.
B) C'est d'espoir dont les humains ont
le plus de besoin pour vivre.
C) C'est d'espoir dont les humains ont
le plus besoin pour vivre.

7. ➤ *Trouvez et corrigez les deux erreurs que contient
le texte suivant.*

Maurice Duplessis était féru en humour. Il débutait
chacun de ses discours en disant : « Électeurs, électrices,
électricité ! »

8. ➤ *Quel ensemble de mots (A, B ou C) complète le texte correctement ?*

« Notre professeur de français nous interdit de _____ entraider durant un examen. Cela ne plaît pas aux élèves les plus faibles, car personne ne pourra _____ aider », dit un élève doué pour la critique.

A) s', leur
B) nous, les
C) nous, leur

9. ➤ *Quel auxiliaire (A, B ou C) complète la phrase correctement ?*

« Après qu'il _____ créé l'eau, Dieu dit aux batraciens : « Coassez et multipliez-vous ! »

A) eut
B) est
C) ait

10. ➤ *Trouvez et corrigez les deux erreurs que contient la déclaration de l'entraîneur de hockey.*

« Notre meilleur joueur est blessé. Pour surmonter cet handicap, vous devrez patiner au grand maximum de vos capacités », dit Ilim Salam à ses joueurs.

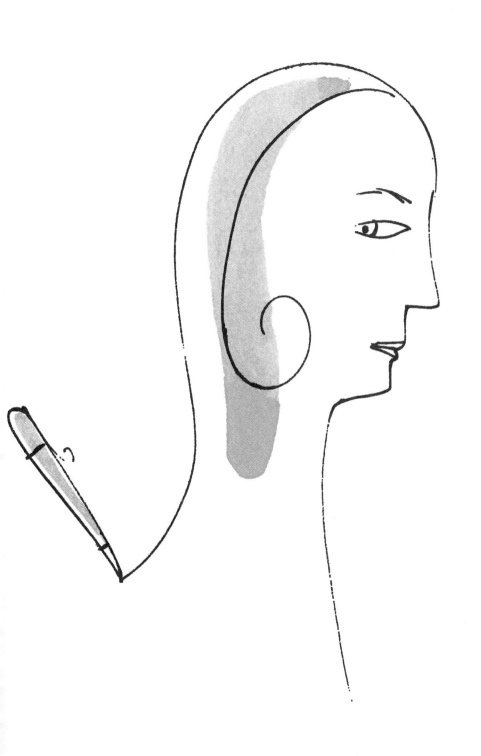

Réponses ⟫→ 282

Le *Super 7* d'Agathe Pica

Agathe Pica est présidente de la Maison de correction, une petite entreprise de correction de textes. Pour éviter l'épuisement professionnel, elle a décidé d'engager un premier employé...

Afin de dénicher la perle rare, Agathe Pica a préparé une épreuve, le *Super 7*, qui consiste à corriger les sept erreurs contenues dans un texte qu'elle a rédigé. Elle promet d'engager sur-le-champ la première personne qui aura corrigé « sans bavures » les sept erreurs du *Super 7*.

Corrigez les sept erreurs contenues dans le *Super 7* d'Agathe Pica, si le travail dans une « maison de correction » vous intéresse...

Le Super 7

L'année dernière, suite à un stage de perfectionnement à l'Université Helvetica, en Suisse (stage qui avait duré soixante et dix-sept jours, sept heures, sept minutes et sept secondes), j'ai décidé de m'établir à Baskerville, tout près de Montréal, pour y fonder ma Maison de correction de textes. Ma Maison de correction — car, en effet, c'est ainsi que je l'appelle — offre tous les services propres à ce genre d'entreprise : correction de manuscrits ou d'épreuves, chasse aux faux trésors de la langue française, collecte de coquilles, etc.

Si le métier de correcteur-réviseur n'est pas de tout repos, il permet néanmoins de travailler selon un horaire flexible, par exemple de 7 h à 20 h ou de 21 h à 6 heures. Quant à moi, je me sens libre comme l'air, dans ma Maison de correction. Je ne subis pas d'harcèlement textuel puisque c'est moi-même qui fixe les échéances de remise de mes travaux !

Veillez envoyer votre texte dûment corrigé à l'adresse mentionnée ci-bas. Je vous communiquerai sous peu les résultats de votre épreuve ainsi que la grille de correction de ma Maison de correction.

[signature]

Maison de correction
7, rue Garamond, Baskerville (Québec)
1 P I 1 C A

ERREUR CORRECTION

1	
2	
3	
4	
5	
6	
7	

CHAPITRE 9

Les mots pièges
de l'orthographe

Réponses ⇒ 283-289

Autocorrection

1. ➤ Une question claire

Trouvez et corrigez l'erreur que contient le texte suivant.

Selon une rumeur provenant de la Capitale nationale, le gouvernement du Québec s'apprêterait à poser aux Québécois la question référendaire suivante : « À ce stage-ci de votre histoire, que désirez-vous, une maison au Québec ou une cabane au Canada ? »

2. ➤ Un *Penseur* à la gueule de bois

Trouvez et corrigez les deux erreurs que contient la déclaration du sculpteur sur bois.

« Mon *Penseur* de Rodin a l'air bourru. Quand je l'ai sculpté, j'avais du brin de scie dans un œil et une écharpe à un doigt ! », dit Médard Bourgault à un client de sa boutique d'artisanat.

3. ➤ Piles sèches

Trouvez et corrigez l'erreur que contient la déclaration de la jeune campeuse.

« Les lucioles que j'ai attrapées sont toutes mortes ! dit Lucie en entrant dans sa tente avec une lampe de poche. J'ai oublié de percer des trous dans le couvert de mon bocal... »

4. ➤ L'enfant prodige

*Trouvez et corrigez les deux erreurs que contient
le dialogue suivant.*

– Que veux-tu pour Noël, mon enfant? demande le
Père Noël à Jean-Sébastien Piaget.
– Je veux des cahiers à couleurer!
– Pourquoi?
– Parce que mon papa dit que ça va m'aider à dévelop-
per ma motricité et mon habilité à communiquer,
répond avec conviction le jeune garçon.

5. ➤ Révolutionnaire, mon cher Watson!

*Trouvez et corrigez l'erreur que contient la déclaration du
détective.*

«Aujourd'hui, les voleurs doivent porter des vêtements
de cosmonaute pour éviter de laisser leurs empruntes
génétiques sur le lieu du crime. La tenue des voleurs a
subi une véritable révolution en l'espace d'un siècle!»,
dit Sherlock Holmes au docteur Watson.

6. ➤ Les pinces de M. Écrevisse

*Trouvez et corrigez les deux erreurs que M. Écrevisse
a volontairement commises dans son texte.*

La compagnie Pepsi-Koala a inventé une boisson
médicamenteuse qui combat efficacement l'ulcère
pepsique, les brûlements d'estomac et... les papillons
dans l'estomac!

7. ➤ Une explication qui n'est guère satisfaisante

À l'aide des indices, trouvez les deux mots
qui complètent le texte correctement.

« On se perd souvent en conj_____ lorsqu'on tente
de trouver les causes véritables des guerres. Chose
certaine, les guerres éclatent toujours lorsque la
conj_____ est favorable », dit Pacifique Drapeau
à ses élèves.

8. ➤ Nouvelle histoire de Mouchette

À l'aide des indices, trouvez les deux mots
qui complètent le texte correctement.

« Comme tous les pêcheurs dignes de ce nom, Martin
et moi mangeons tout le poisson, y compris les
éc_____ ! », dit Mouchette en crachant les
éc_____ de l'arachide qu'elle mangeait.

9. ➤ Savoir parier pour le bon cheval

Trouvez et corrigez les deux erreurs que contient
le dialogue suivant.

– J'ai entendu le jockey dire quelques mots à l'oreille
de son cheval, et celui-ci a eu l'air tout regaillardi,
dit un parieur à son ami.
– Qu'est-ce que le jockey lui a dit ?
– Je n'ai pas tout compris mais, si je me fie aux brides
de phrases que j'ai entendues, nous allons miser tout
de suite notre argent sur ce cheval ! dit le parieur,
piaffant d'impatience.

10. ➤ **Un médecin qui ne mâche pas ses mots**

Quel ensemble de mots (A, B ou C) complète le texte correctement ?

« Vous avez l'air tout _____ . Cessez donc de passer vos soirées _____ sur le canapé à regarder la télé ! », dit le médecin à un patient qui se plaignait de douleurs de toutes sortes.

A) déguingandé, évaché
B) dégingandé, évaché
C) dégingandé, avachi

11. ➤ **Le chien de M. Pavlov**

Trouvez et corrigez l'erreur que contient la déclaration du psychanalyste.

« Mon chien, Pissounov, est bourré de complexes. Il a peur de tout, même de son ombre. Peut-être ne lui ai-je pas donné assez d'affection quand il était petit... », se dit Ivan Pavlov, bourré de remords.

12. ➤ Une vérité « incontournable »

Quel ensemble de mots (A, B ou C) complète le texte correctement ?

Une fois élu, le ministre des Transports a déclaré : « Le rétablissement des postes de _____ sur les autoroutes présente des avantages _____ indéniables. »

A) péage, pécuniaires
B) payage, pécuniaires
C) péage, pécuniers

13. ➤ Un « totem » à apprivoiser

Trouvez et corrigez l'erreur que contient la déclaration de la fillette.

« Je suis allée cueillir des feuilles dans la forêt et, regardez, j'ai la peau toute couverte de cloches », dit Julie, ou Puce alerte, à l'infirmière du camp des Jeannette.

14. ➤ **Les murs ont des oreilles**

Complétez chaque mot en utilisant le préfixe re- *ou* ra-.

« J'ai _____ battu le caquet à une journaliste qui ne cessait de me _____ battre les oreilles de mes prétendues aventures extraconjugales », dit le prince Charles à sa mère durant le thé de cinq heures.

15. ➤ **Basse besogne**

Complétez chaque mot en utilisant le préfixe ef- *ou* in-.

Selon le rapport du policier enquêteur, le suspect a commis une double _____ fraction. Il a d'abord pénétré par _____ fraction dans le sous-sol de la maison, puis il a fait main basse sur tous les objets de valeur.

16. ➤ **Un amour en vers... et contre tous !**

Complétez chaque mot en utilisant le préfixe é- *ou* ir-.

Phèdre dit à son beau-fils Hippolyte :
« Le jour où vous fîtes _____ ruption dans ma vie,
L'amour, d'un volcan en _____ ruption, a jailli ! »

17. ➤ **Un mort, aucun blessé**

Trouvez et corrigez les deux erreurs que contient la déclaration du conducteur.

« Ma voiture a eu une crevaison et a failli tomber dans un fosset, dit un conducteur de corbillard à son patron. J'en suis encore tout boulversé, même si aucun passager n'a été blessé. »

18. ➤ Taille de guêpe

À l'aide des indices, trouvez les deux mots qui complètent le texte correctement.

« Le jardin était inf_____ de guêpes, et je me suis fait piquer à la hanche. Penses-tu que la piqûre puisse s'inf_____ ? », demande Fleurette à Roméo.

19. ➤ Une décision sans appel

Trouvez et corrigez les deux erreurs que contient la déclaration de la téléphoniste.

« J'ai dû résigner mon bail et déménager à cent kilomètres de chez moi pour conserver mon emploi. Je vous dis que j'avais le taquet bas quand je suis partie ! », dit une téléphoniste à sa nouvelle voisine.

20. ➤ Enfants cultivés

Trouvez et corrigez les deux erreurs que contient le texte suivant.

Dans une lettre ouverte à la revue *Jardins d'aujourd'hui*, un écolier révolté a écrit : « À l'école, on nous oblige à nous placer en rang d'oignions. On nous traite comme des légumes ! Voilà mon opignion. »

21. ➤ **Athlètes du « dix manches »**

Trouvez et corrigez l'erreur que contient la déclaration du commentateur sportif.

« Aujourd'hui, les Expos ont encore perdu à la dixième manche. Quelle équipe mal amanchée ! Il va falloir que quelqu'un leur montre à frapper des circuits ! », dit Rodger Rajotte en retroussant ses manches.

22. ➤ **La ligne rouge sang**

Quel ensemble de mots (A, B ou C) complète le texte correctement ?

« Avant de _____ la sanglante Révolution culturelle, Mao Tsé-tung s'était assuré que les millions de Gardes rouges étaient tous _____ sur la politique qu'il avait énoncée dans son *Petit Livre rouge* », dit Pacifique Drapeau à ses élèves.

A) déclancher, enlignés
B) déclencher, enlignés
C) déclencher, alignés

23. ➤ **Les grands chefs de l'écologie**

Trouvez et corrigez les deux erreurs que contient la déclaration du chef politique.

« Les arborigènes ont toujours eu un respect sacré pour les arbres. Je les félécite pour l'exemple qu'ils ont su nous donner », a déclaré David Greenwood, le chef du Parti vert.

24. ➤ Les doigts de l'homme et de la femme

Trouvez et corrigez les deux erreurs que contient la déclaration de l'illusionniste.

«Tout mon succès de prestigitateur, je le dois à ma femme, qui est une excellente manicure», a avoué humblement le célèbre Paul Houdini.

25. ➤ Gants de hockey ou gants de boxe ?

Quel ensemble de mots (A, B ou C) complète le texte correctement ?

«Les _____ sont devenues si fréquentes sur la patinoire que les joueurs doivent se _____ pour éviter les blessures», a déclaré le soigneur des Canadiens.

A) échaffourées, carapaçonner
B) échauffourées, caparaçonner
C) échauffourées, carapaçonner

26. ➤ Les Lavigueur déménagent !

Trouvez et corrigez l'erreur que contient le texte suivant.

Lorsque les Lavigueur partent en camping, ils apportent la tente, les sacs de couchage et tout le pataclan : le barbecue, les meubles de jardin, le téléviseur...

27. ➤ **À Saint-Ovni, QC**

*Trouvez et corrigez les deux erreurs que contient
la déclaration de l'animateur de télévision.*

Encore vert de peur, Réjean Glenn a déclaré à son
auditoire : « L'autre jour, un engin spacial a atterri dans
le champ derrière chez moi. C'était un extraterrestre
qui cherchait l'aréoport John-Glenn ! »

28. ➤ **Bac « ès crime »**

*Quel ensemble de mots (A, B ou C) complète le texte
correctement ?*

« Durant mon règne, j'ai réussi à créer un régime
_____ tout à fait original. Dans chaque
_____ , les criminels de droit commun étaient
responsables de la rééducation des prisonniers
politiques », dit le président Pinochet à son ami
le président Marcos.

A) pénitentiaire, pénitencier
B) pénitenciaire, pénitencier
C) pénitentiaire, pénitentier

29. ➤ **Haut salaire, salaire décent !**

Trouvez les deux erreurs que contient le texte suivant.

Sur les pancartes des manifestants défilant devant
le Parlement, on pouvait lire les slogans suivants :
« Payez-nous nos arriérages ! », « Rénumération
équitable ! », « Bas salaire, salaire indécent ! ».

30. ➤ Bonheur quintuplé

*Trouvez et corrigez les deux erreurs que contient
la déclaration de la maman.*

« Durant ma grossesse, j'ai bénificié des sages conseils
de ma génycologue. Lorsque j'ai eu mes quintuplées,
j'étais cinq fois moins inquiète ! », dit Mme Dionne.

31. ➤ Une salade, César ?

*Complétez le texte en utilisant l'adjectif vénéneux
ou venimeux.*

« Obélix, va me chercher une langue de serpent
_____ et quelques champignons _____ . Je
prépare la vignaigrette de la salade que l'on servira à
César ce soir », dit le druide Panonamix à son ami, en
lui faisant un clin d'œil.

32. ➤ Bombe H = bombe Haine

*Trouvez et corrigez les deux erreurs que contient
la déclaration de l'historien.*

« Einstein fut une somnité en physique
nucléaire et un pacifiste réputé. Il fut
confronté toute sa vie à un terrible
dilemne : faire des découvertes
scientifiques qui contribuent
au progrès de l'humanité
et non à sa destruction »,
dit Pacifique Drapeau
à ses élèves.

33. ➤ **Verset raélien**

*Trouvez et corrigez les deux erreurs que contient
la déclaration du gourou.*

En ce temps-là, Raël dit à ses disciples : « Il m'est plus
facile de communiquer avec Allah, Bouddah et Jéhovah par télépatie que par écrit ! »

34. ➤ **Amuse-gueule**

*Quel ensemble de mots (A, B ou C) complète le texte
correctement ?*

Assise droite comme un _____ et fixant
un mulot de ses yeux de lynx, la chatte bondit sur
sa proie et l' _____ d'un coup de gueule.

A) sphynx, attrappa
B) sphinx, attrapa
C) sphinx, attrappa

35. ➤ **Humour croquant**

*Trouvez et corrigez les deux erreurs que contient le dialogue
suivant.*

– Docteur Rougemont, vous me dites de manger
   une pomme par jour alors que, chaque jour,
   les pommiculteurs arrosent les pommiers de
   produits chimiques ! dit Marie Granola.
– Alors, j'ai deux conseils à vous donner, madame
   Granola : pelez chaque pomme que vous mangez et,
   en la pelant, faites une blague sur l'imbécilité de ces
   pollueurs !

36. ➤ Un couple fait pour s'entendre

Quel ensemble de noms (A, B ou C) complète le texte correctement ?

« Chaque soir, la baronne joue du _____ et je l'accompagne aux _____ . Nous préférons la batterie de jazz à la batterie de cuisine ! », dit le baron de Saxe au comte de Duracell.

A) trombonne, timbales
B) trombone, tymbales
C) trombone, timbales

37. ➤ Nouvelle histoire de Mouchette

Quel ensemble de noms (A, B ou C) complète le texte correctement ?

« Je ne sais si mon mari a acheté ma bague de mariage chez un _____ ou un _____ , mais j'y tiens comme à la prunelle de mes yeux : elle est sertie d'une pierre saumon ! », dit Mouchette.

A) joailler, quincailler
B) joaillier, quincaillier
C) joailler, quincallier

38. ➤ Musique de casse-croûte

Trouvez et corrigez l'erreur que contient la déclaration de l'imprésario.

« Priscilla Taillefer et Elvis Creton ne seraient pas au zénith de leur gloire si je n'avais pas soigneusement préparé leur venue aux États-Unis par une publicité tous azimuths », a déclaré Everly Brodeur au poste de radio Memphis Rock Détente.

39. ➤ Recette raffinée

Trouvez et corrigez l'erreur que contient la déclaration de la chef cuisinière.

« Faire une limonade, c'est très simple : il suffit d'ajouter un peu de sucre ou de cassonnade à une citronnade », dit Angela Tropicana, pressée de terminer son émission.

40. ➤ Les pinces de M. Écrevisse

Trouvez et corrigez les deux erreurs que M. Écrevisse a volontairement commises dans son texte.

La compagnie Jouvenceau a mis sur le marché une poudre de rajeunissement — en l'occurence, la « Face de bébé » — aux effets miraculeux. Cette poudre de perlimpimpin empêcherait l'apparition de toutes formes de rides sur le visage, aussi bien les rides engendrées par le vieillissement que celles provoquées par le rire...

Réponses ⫸→ 290

Autoévaluation

1. ➤ *Trouvez et corrigez les deux erreurs que contient la déclaration de la maman.*

« Ma génycologue dit que mes quintuplées sont à leur stage oral. C'est bien vrai : il y en a quatre qui sucent leur pouce droit et une qui suce son pouce gauche ! », dit Mᵐᵉ Dionne.

2. ➤ *Quel ensemble de noms (A, B ou C) complète le texte correctement ?*

« Pépé mange les arachides dans leurs _____ . Je ne serais pas étonné qu'il souffre de _____ d'estomac », dit Léo, observant son singe se gratter dans la région de l'estomac...

A) écailles, brûlements
B) écales, brûlures
C) écailles, brûlures

3. ➤ *Trouvez et corrigez les deux erreurs que contient le texte suivant.*

Selon le rapport du policier enquêteur, le suspect est entré par infraction dans la voiture de M. Lebeau. Il a laissé ses empruntes digitales sur la clé anglaise qui lui a servi à fracasser le pare-brise et à voler l'auto.

4. ➤ *Quel ensemble de mots (A, B ou C) complète le texte correctement ?*

« Je déteste pêcher dans un étang _____
de « frappe-à-bord ». Ces petits taons ne sont pas
_____ , mais ils piquent si fort que je passe
tout mon temps à tenter de les frapper à coups
de rame ! », dit Mouchette, exaspérée.

A) infesté, venimeux
B) infecté, vénéneux
C) infesté, vénéneux

5. ➤ *Quel ensemble de noms (A, B ou C) complète le texte correctement ?*

« Les _____ qui déversent des produits
chimiques sur les pommiers devraient subir une
lobotomie ! », dit Marie Granola, les pommettes des
joues rouges comme un volcan en _____ !

A) pomiculteurs, irruption
B) pommiculteurs, irruption
C) pomiculteurs, éruption

6. ➤ *Trouvez et corrigez les deux erreurs que contient
la déclaration de la téléphoniste.*

« Selon les brides de conversation que j'ai entendues
au bureau, les téléphonistes devront se résilier à déménager si elles veulent conserver leur emploi », dit
une téléphoniste faisant ses adieux à sa voisine.

7. ➤ *Deux des quatre mots suivants (A, B, C et D) peuvent compléter le texte correctement. Lesquels ?*

« J'en avais assez de me faire taper sur la tête par mes deux petits-enfants. Je leur ai donné chacun une paire de _____ ! », dit le comte de Duracell au baron de Saxe.

A) timbales   C) cimbales

B) tymbales   D) cymbales

8. ➤ *Trouvez et corrigez les deux erreurs que contient la déclaration du chroniqueur automobile.*

« Sans doute à cause d'un profil aréodynamique trop prononcé, la nouvelle Coccinelle a l'air d'une coccinelle qui souffre d'embompoint », écrit M. Michelin.

9. ➤ *Quel ensemble de noms (A, B ou C) complète le texte correctement ?*

Si la _____ économique le permet,
le gouvernement paiera les _____
dus aux employés de l'État.

A) conjoncture, arriérages
B) conjecture, arrérages
C) conjoncture, arrérages

10. ➤ *Trouvez et corrigez les deux erreurs que contient la déclaration du sonneur de cloches.*

« Toute ma vie, j'ai eu les doigts pleins d'ampouilles et le dos couvert de cloches. J'ai vraiment tiré le diable par la queue ! », dit Quasimodo à la gargouille qui lui servait de confidente.

Réponses ⟫⟶ 290

Autorelaxation

Un « hebdromadaire »
qui fait le plein d'humour

Le journal *Le Broue Ha ! Ha !* est un « hebdromadaire » qui s'est donné pour mandat d'abreuver ses lecteurs d'humour. Pour faire le plein d'humour, les journalistes parcourent chaque jour les rues « alsphatées » de la ville et se mêlent à la « cohue-bohu » de la foule, à l'affût des mots qui feront rire leurs lecteurs à se tordre les « aboyaux ».

Trouvez et corrigez les mots tordants ou tordus que contiennent les titres suivants, extraits de la dernière livraison du *Broue Ha ! Ha !*, et tordez-vous de rire si l'humour est votre « tendron » d'Achille ou votre « Achille Talon » !

Le Broue Ha ! Ha !
L'« hebdromadaire » de l'humour

1
Créole-le ou non...
Une tournade emporte sa maison
et il s'en tire avec un tourticoulis !

CORRECTIONS

2

Lors d'une boiverie familiale,
un alcoolique invertébré déclare :
« Il faut battre son frère pendant
qu'il est chaud ! »

CORRECTIONS

3

Au pays des phaarons…
Une piramyde de Gypse s'écroule !

CORRECTIONS

4

Proxénitisme dans un jardin public
La police découvre le poteau rose !

CORRECTIONS

5

Des funérails nationales ?
En plein cœur du Vieux-Toronto, le plus vieux
conducteur de tramway meurt d'un infractus !

CORRECTIONS

6

Après avoir goûté au vin nouveau de la Sécile,
un viniculteur québécois déclare :
« Il y a loin de la soupe au lièvre ! »

CORRECTIONS

7

À la suite du vol d'un camion chargé de
crème glacée aux cocombres,
la propriétaire de La Bonne Crémière déclare :
« Ce n'est que la pointe de l'asperge ! »

CORRECTIONS

CHAPITRE 10

Les anglicismes

Réponses ⬛→ 291-297

Autocorrection

1. ➤ Un amour florissant

*Trouvez et corrigez les deux anglicismes que contient
la déclaration de Roméo.*

« Je me suis inscrit à un cours sur le langu?age des fleurs
et j'ai appris que l'œillet symbolise l'amour sincère.
Voici mon premier exercise pratique ! », dit Roméo
en tendant un bouquet d'œillets à Fleurette.

2. ➤ Un amour cousu de fil blanc

*Trouvez et corrigez les deux anglicismes que contient
le texte suivant.*

Dans les annonces classées du *Journal de la mariée*, on
pouvait lire : « Robe de mariée à vendre. N'a jamais
servi. Peut nécessiter quelques altérations. Prix à discuter, sauf avec Réjean. Appelez Marguerite au plus
vite. »

3. ➤ Un amour nébuleux

*Trouvez et corrigez les deux anglicismes que contient
la déclaration d'Estelle et de Jonathan.*

« Nous ne nous sommes pas rencontrés par un effet du
hazard. Nous avons toujours été sous l'impression que
nous étions prédestinés à voyager ensemble dans notre
Galaxie », disent Estelle et Jonathan, transportés de
bonheur.

4. ➤ Une amoureuse de la nature

*Trouvez et corrigez les deux anglicismes que contient
la déclaration de la naturopathe.*

« L'autre jour, j'ai rencontré un charmant garçon au bar
à salades du restaurant Croque-Nature. Il avait les yeux
taillés en amande et la peau du visage tendre comme
une pelure d'apricot! », dit Marie Granola, tremblante
comme une feuille.

5. ➤ L'amour des grands espaces

*Trouvez et corrigez les deux anglicismes que contient
la déclaration de Mme Brossard.*

« Mon mari et moi adorons voyager en autocaravane.
Nous avons tout le comfort nécessaire et ne manquons
jamais de rien : le plus souvent, nous nous garons
dans le stationnement d'un centre d'achats ! », dit
Mme Brossard à des touristes ébahis.

6. ➤ Un amour au garde-à-vous

*Trouvez et corrigez les deux anglicismes que contient
le billet de Benoît.*

Ma chère Pâquerette,
Malgré tous les efforts que j'ai faits jusqu'à date, je
m'avoue incapable de vous tutoyer. Je vous propose de
régler notre différend au cours d'un rendez-vous galant.
Qu'en dites-vous ?
Bien à vous,

Votre Benoît

7. ➤ Deux voisins « ami-ami »

*Trouvez et corrigez les deux anglicismes que contient
le dialogue suivant.*

– Bonjour, monsieur Bontemps. Je viens vous saluer
avant de partir pour la Floride. N'oubliez pas de
maller mon courrier à ma nouvelle adresse.
– Ne vous inquiétez pas, monsieur Lamoureux.
Voulez-vous que je vous envoie aussi les pamphlets ?
– Non, merci. Ce ne sera pas nécessaire : je n'ai pas
de poêle à bois à Miami !

8. ➤ Humanitaire, mon cher Watson !

*Trouvez et corrigez les deux anglicismes que contient
la déclaration du détective.*

« Dû à ma grande timidité ou à mon esprit humanitaire,
je ne mets jamais un suspect sous arrêt. Je l'incite plutôt
à se livrer pieds et poings liés à un policier ! », dit
Sherlock Holmes au docteur Watson.

9. ➤ Ras le bol des critiques !

*Trouvez et corrigez les deux anglicismes que contient
la déclaration de l'animateur de télévision.*

Contenant difficilement un fou rire, Réjean Glenn a
déclaré à son auditoire : « Certains critiques disent que
je fais un fou de moi en avouant publiquement que je
crois aux soucoupes volantes. En autant que je suis
concerné, je me considère comme sain d'esprit. Ce sont
plutôt les critiques qui ne sont pas dans leur assiette ! »

10. ➤ Lundi brun

Trouvez et corrigez les deux anglicismes que contient la déclaration de la vendeuse.

« Lundi dernier, c'était la grande vente de vêtements bruns. J'ai donné une barre de savon brun à une cliente qui avait acheté un chapeau, une robe, une chemise et des bas bruns. Je vous dis que la madame aux cheveux bruns était contente ! », dit la responsable du rayon « Vêtements bruns », chez Wow Mark.

11. ➤ Un livre vert sapin

Trouvez et corrigez les deux anglicismes que contient la déclaration du chef politique.

« Le livre vert de mon parti prône des mesures drastiques pour assurer la protection de nos arbres. Chaque arbre du territoire national devra être taillé selon des normes rigoureuses, et tout citoyen qui ne rencontrera pas ces normes subira les foudres du ministre de la Justice », a déclaré David Greenwood, le chef du Parti vert.

12. ➤ La parole est d'argent

Trouvez et corrigez les deux anglicismes que contient la déclaration de la téléphoniste.

« Depuis que je suis installée à Sainte-Bénite, ça me coûte cher de longues distances. Si ma meilleure amie de Montréal continue de faire des appels à charge renversée, je vais être obligée de demander une augmentation de salaire ! », dit une téléphoniste à sa nouvelle voisine.

13. ➤ Une fille et un fils « spirituels »

*Trouvez et corrigez les deux anglicismes que contient
la déclaration du chanteur rock.*

« Everly Brodeur, notre imprésario américain, a introduit Priscilla Taillefer et moi auprès de Mme Presley. Nous lui avons offert nos sympathies et l'avons remerciée de tout cœur en disant : "Grâce à Elvis et à vous, nous gagnons bien notre croûte !" », a déclaré Elvis Creton au poste de radio Memphis Rock Détente.

14. ➤ Des frères qui ont l'œil américain

*Trouvez et corrigez les deux anglicismes que contient
le texte suivant.*

Dans la revue franco-américaine *Les Roches roulantes*, on pouvait lire le message suivant : « L'entreprise Les Frères Brodeur, dirigée par deux ex-chanteurs, est vouée à la promotion de la chanson américaine d'ici et d'ailleurs. Mark Brodeur, l'aviseur légal, s'occupe de la signature des contrats et de la perception des royautés. Everly Brodeur, l'imprésario, aide les chanteurs à afficher leurs talents. »

15. ➤ Des gens qui n'ont pas inventé la poudre

*Trouvez et corrigez les deux anglicismes que contient
la déclaration de la maman.*

« La compagnie Flic-Flac m'a offert vingt-cinq caisses
de lait en poudre pour mes quintuplées, à condition
que je fasse la promotion de leur produit dans un
commercial. Je leur ai laissé savoir que je n'étais la
vache à lait de personne ! », dit Mme Dionne, plus
irritée que si elle avait eu une montée de lait...

16. ➤ Une femme aux doigts de fée

*Trouvez et corrigez les deux anglicismes que contient
la déclaration de l'illusionniste.*

« Je suis positif que je dois tout mon succès de prestidigitateur à ma femme, une magicienne-née. Je vous
demande une bonne main d'applaudissements pour
Manuella ! », dit le célèbre Paul Houdini en présentant
sa femme aux spectateurs.

17. ➤ Froid mordant

*Trouvez et corrigez les deux anglicismes que contient
la déclaration du météorologue.*

« Demain, il fera extrêmement froid. Ne sortez sous
aucune considération, sauf si vous avez un appointement chez le dentiste : vous économiserez les frais
d'anesthésie ! », dit Romulus Nimbus en faisant crisser
sa craie sur le tableau.

18. ➤ Quel pitou piteux !

*Trouvez et corrigez les deux anglicismes que contient
la déclaration du psychanalyste.*

« Chaque jour, je vais prendre une marche avec mon
chien. À tout bout de champ, Pissounov lève la patte et
fait semblant d'uriner. Je me sens inconfortable d'être
le maître d'un chien qui se retient d'uriner de peur de
mouiller son ombre ! », dit Ivan Pavlov, rongé de
remords.

19. ➤ Rencontre au sommet

*Trouvez et corrigez les deux anglicismes que contient
la déclaration du gourou.*

En ce temps-là, Raël dit à ses disciples : « Allah, Bouddha, Jéhovah et Iahvé m'ont invité à la convention des
divinités qui aura lieu sur le mont Nirvana dans l'au-
delà. Pouvez-vous organiser une levée de fonds pour
payer mes frais de voyage ? »

20. ➤ Des penseurs à qui l'on doit une fière chandelle

*Trouvez et corrigez les deux anglicismes que contient
la déclaration du philosophe.*

« Hier, j'ai eu un argument avec un physicien qui disait
que les philosophes des Lumières étaient dépassés. J'ai
tenté de le convaincre qu'au contraire ils étaient en
avant de leur temps et que leur génie avait commencé
à nous éclairer un siècle avant que Thomas Edison
n'invente la lampe à incandescence ! », dit Jules Pascal à
ses élèves plus ou moins éclairés.

21. ➤ Un petit Mozart « tout craché »

Trouvez et corrigez les deux anglicismes que contient la déclaration du baron.

« La baronne et moi avons demandé au sieur de La Montagne de donner des leçons de musique à bouche à notre fils Wolfgang, qui n'a que quatre ans. Nous croyons que les enfants doivent apprendre à faire face à la musique très tôt dans la vie », dit le baron de Saxe au comte de Salieri.

22. ➤ Du sang pour sauver les innocents

Trouvez et corrigez les deux anglicismes que contient la déclaration de l'historien.

« Si vous désirez combattre le fléau de la guerre, ne prenez jamais la part de l'un ou l'autre des belligérants. Si vous désirez faire votre part pour enrayer ce fléau, donnez de votre sang à la Croix-Rouge ! », dit Pacifique Drapeau à ses élèves.

23. ➤ Sombre toile de fond

Trouvez et corrigez les deux anglicismes que contient la déclaration du commentateur sportif.

« La cédule des Expos prévoit que trente-cinq matchs seront disputés à Montréal. Moi, je prédis qu'ils perdront la moitié de ces matchs à la dixième manche. Il va falloir une publicité agressive pour convaincre les amateurs de se rendre au Stade olympique ! », dit Rodger Rajotte, les nerfs en boule.

24. ➤ La tour infernale

Trouvez et corrigez les deux anglicismes qu'Agathe Pica
a volontairement commis dans son texte.

Je suis obligée de communiquer par télécopieur ou par
courriel avec mes clients. Personne ne veut se rendre
au bureau-chef de ma Maison de correction, qui est
situé au 13ᵉ étage, suite 1301, du complexe Robert-
Lafrousse, à Baskerville.

25. ➤ Nouvelle histoire de Mouchette

Trouvez et corrigez les deux anglicismes que contient
la déclaration de Mouchette.

« Je ne prends pas de chance quand je mange du poisson
au restaurant : avant chaque bouchée, je vérifie toujours
s'il n'y a pas d'hameçon au bout de ma fourchette. Le
spécial du jour cache parfois la surprise du chef ! », dit
Mouchette à son mari tout yeux, tout ouïe.

26. ➤ Un remplaçant qui ne fait pas le poids

Trouvez et corrigez l'anglicisme que contient
la déclaration de l'étudiant.

« Je ne ferai plus jamais application pour être patron
dans une entreprise. L'été dernier, j'ai remplacé pour
un maigre salaire le président de la compagnie
Gropivo et j'ai perdu dix kilos en dix semaines ! »,
dit Sébastien à la responsable du bureau d'emploi
étudiant.

27. ➤ **Prendre son courage à deux mains**

Trouvez et corrigez l'anglicisme que contient le dialogue suivant.

– Bonjour, monsieur Pelletier. Je suis contracteur en déneigement. Voulez-vous que je déneige l'entrée de votre maison cet hiver ? lui demande M. Zamboni.

– Non, merci. Je le ferai moi-même : le gouvernement vient de geler mon salaire pour une période de quatre mois !

28. ➤ **Mûr pour le Grand Prix... Citron !**

Trouvez et corrigez l'anglicisme que contient la déclaration de l'automobiliste.

« J'ai acheté une voiture usagée deux cents dollars et j'ai dû l'envoyer à la ferraille après avoir parcouru à peine deux cents kilomètres. En bout de piste, je crois que je me suis fait rouler ! », dit Gino Camaro à un coureur automobile.

29. ➤ **Un roman riche en cholestérol !**

Trouvez et corrigez l'anglicisme que contient le dialogue suivant.

– Bonjour, monsieur Tranchefile. Avez-vous le roman *Le Comte de Monte-Crisco* d'Alexandre Dugras ? demande un client au libraire.

– Non, mais je peux vous vendre *Le Comte de Monte-Cristo* d'Alexandre Dumas !

– Excusez-moi, j'ai eu un blanc de mémoire... dit le client, confondu.

30. ➤ Trop de vodka gâte la sauce

Trouvez et corrigez l'anglicisme que contient le dialogue suivant.

– Camarade Smirnoff! ce steak n'est pas un steak tartare : il est bleu! dit Terence Boulba, au bord des larmes.

– Je vois que le camarade Boulba a les bleus parce qu'il a trop bu. C'est la vérité toute crue! lui répond sèchement Boris Smirnoff, serveur et... cordon-bleu à ses heures.

31. ➤ La pince de M. Écrevisse

Trouvez et corrigez l'anglicisme que M. Écrevisse a volontairement commis dans son texte.

« Si l'Académie française simplifiait les règles d'orthographe, les élèves remettraient des copies contenant moins de fautes, les professeurs leur imposeraient moins de copies, et je vendrais moins de copies de ma grammaire !

32. ➤ Pauvre huard CAN !

Trouvez et corrigez l'anglicisme que contient la déclaration du propriétaire du club de hockey.

« J'ai demandé à un de mes joueurs s'il avait du change pour un huard. Il m'a donné deux caribous, trois castors et une feuille d'érable en échange. J'avais oublié que les Canadiens jouaient aux États-Unis le lendemain ! », dit Ronald D. Coré, au bord de la dépression...

33. ➤ Une famille accablée de soucis

*Trouvez et corrigez l'anglicisme que contient la déclaration
du papa.*

« La direction de l'école exige que nous payions deux
cents dollars pour les fournitures scolaires de notre
fils. Si nous payons cette somme, où allons-nous
trouver les deux cents dollars dont François aura
besoin pour son bal de graduation ? », demande
M. Soucy à sa femme.

34. ➤ « Yé-tu cool ! »

*Trouvez et corrigez les deux anglicismes que contient
la déclaration de l'animateur de radio.*

« Gisèle, dis-moi quel poste tu écoutes en ce moment.
Si tu me donnes la bonne réponse, tu gagneras une
liqueur douce de 96,9 l (litres) et un sac de pretzels de
96,9 kg ! », dit Normand Belhumeur à une auditrice,
toute remuée.

35. ➤ Complètement marteau !

*Trouvez et corrigez l'anglicisme que contient la déclaration
de l'employé de bureau.*

« Aujourd'hui, 14 juillet, j'ai engueulé le babillard parce
qu'il avait laissé tomber une punaise sur le siège de ma
chaise et j'ai crié "silence !" à un trombone qui jouait
La Marseillaise en suivant les notes que j'avais griffon-
nées sur une feuille. Je crois que je suis dû pour des
vacances... », dit M. Pilon, au bout de son rouleau.

36. ➤ Les « petits bouts de pou » de Marie-Soleil

*Trouvez et corrigez l'anglicisme que contient
la déclaration de la gardienne.*

« Comme je travaille dans une garderie, il y a une
chance sur dix que j'aie une otite ou des poux. Cela
ne m'empêche nullement d'adorer mes dix petits
bouts de chou ! », dit Marie-Soleil, la mine radieuse.

37. ➤ À pied, à bicyclette ou à monocycle ?

*Trouvez et corrigez les deux anglicismes que contient
le dialogue suivant.*

– Que se passe-t-il, ma belle Violette ? J'ai toujours
l'impression que tu vas à l'école à reculons, pourtant tes résultats académiques sont excellents, dit
Charlemagne à sa fille.
– Tu n'as rien compris, mon cher papa. Je ne déteste
pas l'école : je m'y rends à reculons parce que je me
pratique pour aller à l'école du Cirque du Soleil l'an
prochain !

38. ➤ Un amour de Mulot

*Trouvez et corrigez l'anglicisme que contient
la lettre de Charlot.*

Cher parents. Pourriez-vous m'envoyer le plus tôt
possible une copie de mon certificat de baptême ?
Je veux faire partie de la troupe des Mulots et je dois
prouver que j'ai sept ans. De votre fils Charlot, futur
chef des Mulots, qui vous embrasse bien fort.

39. ➤ Un amour sans lendemain

Trouvez et corrigez l'anglicisme que contient le billet de Pâquerette.

Benoît,
Malgré tous les efforts que j'ai faits depuis dix ans, je n'ai pu vous convaincre de me tutoyer. Je vous avoue que je suis à bout et vous prie de canceller notre rendez-vous.
Adieu,

Votre ex-Pâquerette

40. ➤ Les pinces de M. Écrevisse

Trouvez et corrigez les deux anglicismes que M. Écrevisse a volontairement commis dans son texte.

Si je me fie à la littérature que j'ai lue sur le sujet, le docteur Lejzer Zamenhof a créé l'espéranto pour faciliter les échanges entre les peuples. Est-ce que l'anglais, qui est à toutes fins pratiques l'espéranto des temps modernes, remplit bien les espérances du célèbre docteur et linguiste polonais?

Réponses ⟶ 298

Autoévaluation

1. ➤ *Trouvez et corrigez les deux anglicismes qu'Agathe Pica a volontairement commis dans son texte.*

Tous les travaux exécutés par la Maison de correction rencontrent les plus hauts standards de qualité et sont guarantis à vie.

2. ➤ *Indiquez dans quelle phrase (A, B ou C) le mot* application *constitue un anglicisme et faites la correction qui s'impose.*

A) Travaillez avec *application,* et l'on appréciera ce que vous faites.

B) Ne faites pas *application* pour un emploi qui ne vous convient pas.

C) Mettez en *application* les principes que l'on vous a enseignés.

3. ➤ *Quelle formule de salutation (A, B, C ou D) complète correctement la lettre de Charlot ?*

Chers parents. Je vous remercie de m'avoir mis au monde il y a exactement sept ans aujourd'hui. _____. Votre fils Charlot, chef des Mulots.

A) Cordialement   C) Bien vôtre

B) Bien à vous   D) Sincèrement vôtre

4. ➤ *Indiquez dans quelle phrase (A, B ou C) l'expression*
dû à constitue un anglicisme et faites la correction
qui s'impose.

A) « Les Canadiens ont été éliminés *dû à* leur mauvais
esprit d'équipe », dit un partisan.

B) « Leur cuisant revers est *dû à* un mauvais maniement
du bâton », dit un journaliste.

C) « Je crois que notre échec est *dû à* la pression indue
exercée par nos partisans », dit l'entraîneur de
l'équipe.

5. ➤ *Trouvez et corrigez les deux anglicismes que contient*
la déclaration de l'étudiant.

« J'ai une proposition à vous faire, dit un cégépien à ses
parents : si mes résultats académiques sont satisfaisants,
vous m'achetez une voiture neuve ; s'ils sont insastis-
faisants, vous m'achetez une voiture usagée ! »

6. ➤ *Trouvez et corrigez l'anglicisme que contient la déclaration*
du psychanalyste.

Inquiet, Ivan Pavlov dit à son chien Pissounov : « Il y a
une chance sur 14 millions que je gagne au Lotto 6/49 et
une chance sur 10 000 que je sois heurté par une voiture
en traversant la rue. Viens-tu avec moi au dépanneur ? »

7. ➤ *Indiquez dans quelle phrase (A, B ou C) le mot* copie *constitue un anglicisme et faites la correction qui s'impose.*

A) Sébastien prétend que sa *copie* d'examen de français était sans fautes.

B) Il a joint à son CV une *copie* de son diplôme.

C) Il a acheté une *copie* du journal *L'Emploi étudiant*.

8. ➤ *Trouvez et corrigez les deux anglicismes que contient le texte suivant.*

« Quel est le titre du film où l'on raconte l'histoire d'un jeune Américain fraîchement gradué ? C'est bête, j'ai un blanc de mémoire », dit une cliente au commis du club vidéo.

9. ➤ *Trouvez et corrigez l'anglicisme que contient la déclaration de l'historien.*

« Je me sens inconfortable quand on présente des scènes de guerre à la télévision, surtout si je suis confortablement calé dans mon fauteuil », dit Pacifique Drapeau à sa fille.

10. ➤ *Trouvez et corrigez l'anglicisme que contient le dialogue suivant.*

– Bonjour, monsieur Tranchefile. Avez-vous le roman *Cinzano de Montignac* d'Edmond Dantès? demande un client au libraire.

– Non, mais je peux vous vendre *Cyrano de Bergerac* d'Edmond Rostand!

– Excusez-moi. C'est pourtant ce que l'on disait dans le commercial que j'ai entendu hier à la radio... dit le client, confondu.

Réponses ➠➔ 298-299

Autorelaxation

Un couple fier de son *Petit Idiomatique*

Margaret Smith et Jean Tremblay viennent de publier un dictionnaire illustré des locutions idiomatiques anglaises et françaises qu'ils ont utilisées durant leurs longues et houleuses années de vie commune. Margaret dit que son mari « lui a tordu le bras » (« twisted her arm ») pour rédiger le texte, alors que Jean dit que sa femme « lui a forcé la main » pour faire les illustrations. Quoi qu'il en soit, ils sont fiers de vous présenter leur *Petit Idiomatique*, comme ils l'appellent affectueusement.

À l'aide des indices, trouvez les mots qui complètent chacune des locutions extraites du *Petit Idiomatique*. Notez que Margaret donne la traduction littérale d'une locution anglaise, alors que Jean en donne l'équivalent français.

LE PETIT IDIOMATIQUE

Margaret dit...

Jean dit...

1 A

Promets-moi que tu ne céderas pas les droits d'auteur de notre dictionnaire pour une

c_____ !

1 B

Promets-moi que tu ne céderas pas les droits d'auteur de notre dictionnaire pour une

b_____ de p_____ !

Margaret dit...

Jean dit...

2 A

Je n'ai jamais dit que tu t'habilles mal! Si le c_____ te f_____ , mets-le!

2 B

Je n'ai jamais dit que tu t'habilles mal! Qui se s_____ m_____ se m_____!

3 A

Tu te fais toujours prier pour exécuter les tâches domestiques. Il serait temps que tu mettes l'é_____ à la r_____!

3 B

Tu te fais toujours prier pour exécuter les tâches domestiques. Il serait temps que tu mettes la m_____ à la p_____!

4 A

Sois patient! Ne mets pas la c_____ avant le c_____!

4 B

Sois patiente! Ne mets pas la c_____ avant les b_____!

Margaret dit...   *Jean dit...*

5 A

Ferme les fenêtres ! Il p_____
des c_____ et des c_____ !

5 B

Ferme les fenêtres ! Il t_____
des c_____ !

6 A

Je n'irai pas au restaurant
Le Poisson-Chat. J'ai d'autres
p_____ à f_____ !

6 B

Je n'irai pas au restaurant
Le Poisson-Chat. J'ai d'autres
c_____ à f_____ !

7 A

Tu exagères ! Tu fais une
t_____ dans une t_____
de t_____ !

7 B

Tu exagères ! Tu fais une
t_____ dans un v_____
d'e_____ !

Margaret dit...   *Jean dit...*

8 A

Tu dépenses trop! Tu j_____ l'a_____ à l'é_____!

8 B

Tu dépenses trop! Tu j_____ l'a_____ par les f_____!

9 A

Où étais-tu passé quand mes beaux-parents sont venus nous rendre visite? Tu avais encore f_____ à la f_____!

9 B

Où étais-tu passée quand mes beaux-parents sont venus nous rendre visite? Tu avais encore f_____ à l'a_____!

10 A

Pleureras-tu quand je pousserai les m_____ par le h_____?

10 B

Pleureras-tu quand je m_____ les p_____ par la r_____?

Réponses

AUTOCORRECTION

1. de gros éclairs

➤ Les noms *éclair* et *orage* sont du genre masculin (un éclair, un orage).

2. hémisphère

➤ Le nom *sphère* et ses dérivés sont du genre féminin (une atmosphère, la biosphère, la stratosphère, etc.). Seuls *hémisphère* et *planisphère* sont du genre masculin (un hémisphère, un planisphère).

3. la moustiquaire

➤ Le nom *moustiquaire* est du genre féminin (la ou une moustiquaire); le nom *moustique* est du genre masculin (le ou un moustique).

4. une orchidée blanche

➤ Le genre et l'orthographe des noms de fleurs sont sources de nombreuses erreurs. Consultez le dictionnaire si vous désirez conter fleurette correctement!

5. oasis, orteil

➤ Le nom *oasis* est du genre féminin (une oasis); le nom *orteil* est du genre masculin (un orteil).

6. un astérisque, un obélisque

➤ Les noms *astérisque* et *obélisque* sont du genre masculin, comme les deux héros qui ont popularisé ces mots.

7. cette hélice

➤ Le nom *hélice* est du genre féminin; on peut remplacer *cette* par *une* (cette hélice / une hélice).

8. fécule, molécule, vésicule

➤ Les noms *fécule*, *molécule* et *vésicule* sont du genre féminin (la fécule de maïs, une molécule vivante, la vésicule biliaire). La plupart des noms se terminant par *-ule* sont du genre masculin (un globule, un ovule, etc.).

9. épices

➤ Le nom *épice* est du genre féminin (une épice, toutes les épices). Les autres noms de la liste sont du genre masculin (un agrume, tous les agrumes; un aromate, tous les aromates). Le nom *vivres* s'emploie seulement au pluriel lorsqu'il désigne un ensemble d'aliments.

10. l'armistice fut signé

➤ Le nom *armistice* est du genre masculin (un armistice) de même que le nom *historique* (un historique); le nom *amnistie* est du genre féminin (une amnistie).

11. un bon escompte, un bon acompte, la bonne épithète

➤ Les noms *escompte* et *acompte* sont du genre masculin (un escompte, un acompte); le nom *épithète* est du genre féminin (une épithète).

12. amygdales enflées, hémorroïdes saignantes, viscères crevés

➤ Les noms *amygdales* et *hémorroïdes* sont du genre féminin; le nom *viscères* est du genre masculin. Ces trois noms s'emploient presque toujours au pluriel.

13. atours, alentours ; emplettes, rillettes ; rennes, étrennes

➤ Les noms *atours, alentours, emplettes, rillettes* et *étrennes* ne s'emploient qu'au pluriel. Notez aussi que les mots *emplettes, rillettes* et *étrennes* sont du genre féminin (des emplettes terminées, de délicieuses rillettes, de belles étrennes).

14. nationales

➤ Le nom *obsèques* est féminin pluriel, comme le nom *funérailles* qui est pratiquement synonyme.

15. pétale

➤ Le nom *pétale* (comme le nom *sépale*, une autre partie de la fleur) est masculin (un pétale). Les noms *avant-midi, après-midi, météorite* et *perce-neige* sont le plus souvent employés au masculin (un avant-midi, un météorite, un perce-neige). Quant au nom *palabres*, toujours pluriel, il tend à être plus employé au féminin (de longues palabres plutôt que de longs palabres).

16. mairesse, conseillère municipale

➤ Le féminin *mairesse* désigne aujourd'hui une « femme maire » et non plus la « femme du maire » ; le féminin *une maire* est rare. La forme *conseillère* suit la règle du féminin des noms en *-er* (er / ère).

17. la truie (et non la cochonne)

➤ La *truie* est la femelle du *cochon* ou du *porc*. Le mot *cochon* ou *cochonne* s'emploie au figuré pour désigner un être ou un objet vulgaire, malpropre.

18. C

➤ Dans *agente immobilière*, chaque mot prend la marque du féminin.

L'expression de métier ne prend pas de trait d'union parce qu'elle est formée d'un nom et d'un adjectif ; si elle était formée de deux noms, elle prendrait un trait d'union (un agent-conseiller, une agente-conseillère).

19. camelot, matelot, manchote

➤ Les noms *camelot* et *manchot* sont des mots « épicènes », c'est-à-dire qu'ils conservent la même forme au masculin et au féminin (un camelot / une camelot, un matelot / une matelot). Le mot *manchot* a un féminin régulier, comme nom ou comme adjectif (un manchot / une manchote, un homme manchot / une femme manchote) ; l'animal appelé *manchot* se féminise de la même façon.

20. A

➤ Les formes féminines de *avocat-conseil, linguiste-conseil* et *expert-conseil* sont *avocate-conseil, linguiste-conseil* et *experte-conseil*. Puisque ces expressions de métier sont formées de deux noms, elles prennent un trait d'union.

21. hockeyeuse, basketteuse, volleyeuse, footballeuse

➤ Ces noms sont les formes féminines de *hockeyeur, basketteur, volleyeur* et *footballeur*. Le suffixe *-eur* ou *-euse* est celui qu'on utilise le plus souvent pour désigner les adeptes d'une activité sportive.

22. consule, écrivaine, soldate

➤ On dira donc *une consule, une écrivaine, une soldate*. Les autres mots de la liste sont épicènes ; ils peuvent être féminisés à l'aide d'un déterminant (une commis, une mannequin, une marin, cette médecin, etc.).

23. B, C

➤ Les formes féminines de *apprenti cuisinier* et *chef cuisinier* sont *apprentie cuisinière* et *chef cuisinière*. Dans les expressions de métier, les noms *apprenti* et *chef* ne sont pas suivis d'un trait d'union.

24. ingénieur

➤ Le féminin de *ingénieur* est *ingénieure*. Les autres noms de la liste ont un féminin régulier en *-euse* (annonceuse, camionneuse, cascadeuse, etc.).

25. sculpteure ou sculptrice

➤ L'usage hésite entre les formes *sculpteure* et *sculptrice*. La forme *sculpteure* est celle qui actuellement semble la plus utilisée.

26. auteure-compositrice-interprète

➤ On dit *un auteur / une auteure, un compositeur / une compositrice* et *un interprète / une interprète*, d'où la forme féminine, avec traits d'union : *auteure-compositrice-interprète*.

27. députée, sénatrice, gouverneure générale

➤ Ces formes féminines s'imposent au fur et à mesure que les femmes s'intègrent à la vie politique, de la simple *députée* à la *première ministre*!

28. bachelière, licenciée, maître, docteure

➤ Au masculin, on dit *un bachelier, un licencié, un maître, un docteur*. Les titres *Maître* et *Docteur* ou *Docteure* servent aussi à désigner les membres de certaines professions libérales (droit et notariat dans le premier cas, médecine dans le second cas) ; ils prennent la majuscule dans toute appellation officielle.

29. une hase (et non une lièvre)

➤ La *hase* est la femelle du *lièvre*. L'*ânesse*, la *chamelle* et la *lapine* désignent respectivement la femelle de l'*âne*, du *chameau* et du *lapin*.

30. A

➤ Quelques noms et adjectifs changent la lettre *-c* en *-que* au féminin (un syndic / une syndique, un ami micmac ou turc / une amie micmaque ou turque). Quant au mot *grec*, il change *-c* en *-cque* (un ami grec / une amie grecque).

31. totaux, travaux, baux

➤ Sauf quelques exceptions, les mots en *-al* comme *total* ont un pluriel en *-aux* (total / totaux, cheval / chevaux, etc.). Les mots en *-ail* ont habituellement un pluriel en *-ails* (chandail / chandails, détail / détails, etc.) ; seules quelques exceptions comme *bail, corail, soupirail, travail* et *vitrail* ont un pluriel en *-aux* (bail / baux, corail / coraux, etc.).

32. pneus radiaux, sarraus, bleus

➤ Les mots en *-eu* et en *-au*, comme *jeu* et *étau*, ont habituellement un pluriel en *-eux* et en *-aux* (jeu / jeux, étau /étaux) ; seuls les mots *bleu, pneu, sarrau* et *landau* ont un pluriel en *-eus* et en *-aus* (bleus, pneus, sarraus, landaus). Le mot *radial* a un pluriel régulier en *-aux* (radial / radiaux).

33. mes chouchous

➤ Le mot *chouchou* prend un *s* au pluriel, comme la plupart des mots en -*ou* (des chouchous, des voyous, etc.); seuls les mots *bijou, caillou, chou, genou, hibou, joujou* et *pou* prennent un *x* au pluriel (des bijoux, des choux, etc.). Dans le pluriel *bouts de chou*, le nom *chou* reste au singulier.

34. bonshommes de neige, airs bonhommes

➤ Le nom *bonhomme* a un *s* intercalé (qui se prononce) et un *s* final au pluriel, tout comme le nom *gentilhomme* (des bonshommes, des gentilshommes). L'adjectif *bonhomme* ne prend qu'un *s* final au pluriel (des airs bonhommes).

35. bercail, bétail

➤ Ces deux noms ne s'emploient qu'au singulier (rentrer au bercail, soigner le bétail). Le nom *bestiaux* tient lieu de pluriel pour *bétail* (un wagon à bestiaux).

36. C

➤ Le mot *snob* varie en nombre seulement (une snob, des snobs, des femmes snobs). L'adjectif *sélect* est francisé (avec accent aigu); il varie en genre et en nombre (un club sélect, une société sélecte, des clubs sélects, des sociétés sélectes).

37. des grand-mères, des grands-pères, des Grand-Méroises, des Grand-Mérois

➤ Dans un nom composé, l'adjectif *grand* est variable devant un nom masculin et invariable devant un nom féminin (des grands-pères, des grands-oncles / des grand-mères, des grand-tantes). Dans un nom de population, le premier élément est habituellement invariable (des Grand-Mérois ou Grand-Méroises, des Nord-Américains, des Franco-Albertains, etc.).

38. petits-bourgeois, petites-bourgeoises, tout-petits, gagne-petit

➤ Dans un nom composé, le mot *petit* est variable lorsqu'il est employé comme adjectif (les petits-bourgeois, les petites-bourgeoises) ou comme nom (les tout-petits); il est invariable lorsqu'il est employé comme adverbe (les gagne-petit). Dans *les tout-petits*, le mot *tout* est adverbe, donc invariable.

39. des croque-madame

➤ Dans ces trois noms composés, le mot *croque* est invariable, car il s'agit d'un verbe. Pour des raisons qui tiennent aux caprices de l'usage, on dit *des croque-monsieur, des croque-madame* (noms invariables), mais des *croque-morts* et des *croque-mitaines* (noms variables).

40. walkie-talkie

➤ Les deux mots de *walkie-talkie* prennent un *s* au pluriel (des walkies-talkies). En règle générale, seul le second élément des noms composés anglais prend la marque du pluriel (des best-sellers, des disc-jockeys, des hot-dogs, des pull-overs, des week-ends).

AUTOÉVALUATION

► La note totale de chaque test est de 100 points.

► Notez 10 points par bonne réponse. Lorsqu'une question implique deux réponses, inscrivez 5 points par bonne réponse.

1. astéroïde (un)

2. B

3. entrevue (une)

4. une aspirine (et non un aspirine)

5. A

6. ma bru

7. jurée, procureure

8. B

9. amatrice (et non amateure)

10. Franco-Ontariens, grecques

AUTORELAXATION

Les Chèvres de Mme Séguin

► Microbrasserie *Ti-Mousse* : un maître brasseur, une maître brasseuse.
► Compagnie *Pur Nectar* : un apiculteur, une apicultrice.
► Clinique *Dr Bel-Art* : un empailleur, une empailleuse.
► Agence d'amaigrissement *Montipois* : un ou une diététiste-conseil.

AUTOCORRECTION

1. Émue, empreint, mérité

➤ *Émue* est un adjectif détaché qui s'accorde avec le nom *athlète*, ici fém. sing. L'adjectif *empreint* est épithète du nom *sourire*, masc. sing. L'adjectif *mérité* est attribut du sujet *succès*, masc. sing.

2. des plus flatteur

➤ L'adjectif placé après *des plus, des moins, des mieux* est invariable s'il se rapporte à un pronom neutre ou à un infinitif (cela est des plus flatteur, parler ainsi est des plus flatteur). Si l'adjectif se rapporte à un nom masculin ou féminin, l'accord se fait selon le genre et au pluriel (un criminel des plus intelligents, une femme des plus intelligentes).

3. molle, publiques

➤ L'adjectif *molle* est attribut du complément d'objet direct *position*, fém. sing.; l'adjectif *publiques* est attribut du complément d'objet direct *recommandations*, fém. plur. Dans ces deux cas, le COD est placé après l'attribut qui s'y rapporte.

4. heureux ou heureuses, détendu

➤ Lorsque *avoir l'air* signifie «sembler», l'adjectif qui suit s'accorde avec le nom *air* ou avec le sujet (Les majorettes avaient l'air heureux ou heureuses); l'accord avec le sujet est cependant plus fréquent. Lorsque le nom *air* est suivi d'un complément, l'adjectif s'accorde avec *air* (ils avaient l'air détendu des soldats).

5. A et C

➤ Seul l'adjectif simple exprimant la couleur est variable (les cheveux châtains); le nom simple est invariable (les cheveux châtaigne). Le mot composé exprimant la couleur est invariable, peu importe les mots qui en font partie (les cheveux blond châtain, blond pâle, blond platine, etc.).

6. voyaient rouge, bons premiers, ri jaune

➤ Dans ce texte, seuls les adjectifs employés comme adverbes sont invariables (chauffés à blanc, voyaient rouge, trimé dur, ri jaune). Dans les autres cas, les adjectifs sont variables (devenus tout rouges, classés bons premiers).

7. fraîche émoulue, fraîches écloses

➤ Le mot *frais* est adjectif et variable dans les expressions telles que *frais émoulu, frais éclos, frais cueilli* et *frais peint*.

8. A

➤ Dans l'expression *nouveau-né*, avec trait d'union, *nouveau* est adjectif adverbial et invariable (une nouveau-née, des nouveau-nés, des nouveau-nées). Dans les autres expressions, sans trait d'union, *nouveau* est adjectif et variable (une nouvelle mariée, des nouveaux mariés, des nouvelles mariées, des nouveaux fiancés, des nouveaux venus, etc.).

9. les serrer bien fort

➤ Le mot *fort* est adjectif adverbial et invariable quand il signifie «fortement» (serrer bien fort, fort célèbres, fort impressionnants). Lorsqu'il est adjectif, il s'accorde avec le mot auquel il se rapporte (des hommes forts).

10. des arguments convaincants, en les convainquant

➤ Dans *des arguments convaincants*, le mot *convaincants* est un adjectif verbal et il s'accorde avec le nom *arguments*, masc. plur. ; au fém. plur., on écrirait *des paroles convaincantes*. Dans *en les convainquant*, le mot *convainquant* est un participe présent et il est invariable.

11. standards de qualité, prix standard

➤ Le mot *standard* est variable lorsqu'il est employé comme nom (des standards de qualité) ; il est invariable lorsqu'il est employé comme adjectif (des prix standard).

12. automobiles, sport

➤ Le nom *automobile* est variable lorsqu'il est apposé à un autre nom (coureurs automobiles, véhicules automobiles, etc.). Le nom *sport* est invariable lorsqu'il est apposé à un autre nom (voitures sport, vêtements sport, etc.).

13. jouons, accepteriez, pourrions

➤ Lorsqu'un verbe a des sujets de personnes différentes, l'accord se fait au pluriel et à la personne qui a la priorité : priorité de la 1re pers. sur la 2e et la 3e, et priorité de la 2e sur la 3e, d'où les formes *jouons*, *accepteriez* et *pourrions* dans le texte.

14. C

➤ Lorsque deux sujets sont reliés par *comme, ainsi que, de même que*, le verbe se met au singulier si le 2e sujet est encadré de virgules (Martin, ainsi que sa mère, adore) et au pluriel si le 2e sujet n'est pas encadré de virgules (Martin ainsi que sa mère détestent).

15. elle a été prise

➤ Le participe passé *prise* est employé avec l'auxiliaire *être* au passé composé (a été) ; il s'accorde avec le sujet (elle a été prise, elles ont été prises, etc.).

16. m'a posé, m'a étonnée, m'a demandé, lui ai répondu, l'a dérouté

➤ Le participe passé avec *avoir* s'accorde avec le COD qui le précède (m'a étonnée, l'a dérouté) ; si le COD est placé après le verbe ou s'il n'y a pas de COD, le participe passé est invariable (m'a posé une question, m'a demandé quel cadeau, lui ai répondu).

17. ont-ils louées, ils en ont loué

➤ Lorsque le participe passé avec *avoir* est précédé du COD *combien de*, il s'accorde avec le complément de cette expression (Combien de cassettes ont-ils louées). Le participe passé avec *avoir* est invariable lorsqu'il est précédé du seul pronom *en* (Ils en ont loué trois).

18. que le marchand a vendues, qu'il lui a vendus

➤ Lorsque le participe passé avec *avoir* a pour COD le pronom relatif *que* ou *qu'*, il s'accorde avec l'antécédent de ce pronom (Les chaussettes que le marchand a vendues, Les deux chandails qu'il lui a vendus).

19. C

➤ Le participe passé avec *avoir* s'accorde avec le COD qui le précède (Quels romans avez-vous lus, Lequel avez-vous préféré) ; dans *Lequel de ses romans avez-vous préféré?*, le mot *romans* n'influence pas l'accord de *préféré*, car il est complément du pronom *Lequel*.

20. qu'il a neigé, qu'il a fait, qu'il est tombé, qu'il y a eu

➤ Le participe passé d'un verbe impersonnel est invariable, qu'il soit conjugué avec *avoir* ou *être* (les deux jours qu'il a neigé, les grands froids qu'il a fait, il est tombé de la pluie, les pluies qu'il y a eu).

21. laissés grandir, laissés faire, laissé punir

➤ Le participe passé suivi d'un infinitif s'accorde avec le COD qui le précède si celui-ci fait l'action de l'infinitif; dans *laissés grandir* et *laissés faire*, le COD *les*, mis pour *enfants*, fait l'action de *grandir* et de *faire*. Dans *laissé punir*, le COD *se*, mis pour *enfants*, ne fait pas l'action de l'infinitif, d'où *laissé* (invariable).

22. je les ai fait goûter

➤ Le participe passé *fait*, du verbe *faire*, est invariable lorsqu'il est suivi d'un infinitif (je les ai fait goûter, je les ai fait rôtir, ils se sont fait avoir, etc.).

23. B

➤ Le participe passé *donné* est invariable parce que le COD, *la main*, est placé après le verbe; le pronom personnel *se* est COI (Les scouts ont donné la main à eux). Le participe passé *salués* s'accorde avec le COD qui le précède, le pronom personnel *se*; l'expression *de la main* est complément circonstanciel de moyen du verbe (ils ont salué eux de la main).

24. se sont moqués, se sont ri, se sont plu

➤ Sauf de rares exceptions, le participe passé des verbes essentiellement pronominaux tels que *se moquer, s'évader, se souvenir*, etc., s'accorde avec le sujet (ils se sont moqués, ils se sont évadés, etc.). Le participe passé des verbes *se rire, se sourire, se plaire* (accidentellement pronominaux) et *se complaire* (essentiellement pronominal) est toujours invariable, car il ne peut avoir de COD (on ne peut rire, sourire, plaire ou complaire quelqu'un).

25. C et D

➤ Le participe passé du verbe *se succéder* est toujours invariable, car *succéder* ne peut avoir de COD (on succède à quelqu'un ou à quelque chose), d'où *les journées se sont succédé*. Dans *les journées se sont passées*, le pronom *se*, mis pour *journées*, est COD du verbe (les journées ont passé elles-mêmes), d'où l'accord au féminin pluriel.

26. Mis à part la difficulté, Cette difficulté mise à part

➤ Dans l'expression *mis à part*, le participe passé *mis* est invariable s'il est placé devant le nom et variable s'il est placé après le nom (Mis à part la difficulté / Cette difficulté mise à part).

27. je suis tombée (et non j'ai tombé), je ne me suis pas fait mal

➤ Le verbe *tomber* est un verbe intransitif qui se conjugue avec l'auxiliaire *être* aux temps composés; son participe passé s'accorde avec le sujet (je suis tombée, dit Violette). Dans l'expression *se faire mal*, le pronom *se* est COI du verbe: on fait mal à soi, d'où l'invariabilité du participe passé (elle s'est fait mal, ils se sont fait mal).

28. la plupart du monde possède, La plupart des citadins possèdent

➤ Le verbe qui a pour sujet *la plupart* suivi d'un complément s'accorde avec ce complément (la plupart du monde possède, est fier, etc.; la plupart des citadins possèdent, sont fiers, etc.).

29. La plupart d'entre nous sont, certains d'entre vous ont

➤ Le verbe qui a pour sujet une expression de quantité suivie du pronom *nous* ou *vous* se met habituellement à la 3ᵉ personne du pluriel (La plupart d'entre nous sont favorables, certains d'entre vous ont des questions).

30. toi qui l'essuieras, moi qui prends

➤ Le verbe *essuieras* se met à la 2ᵉ pers. sing. parce que son sujet, le pronom *qui*, a pour antécédent le pronom *toi*. Le verbe *prends* se met à la 1ʳᵉ pers. sing. parce que son sujet, le pronom *qui*, a pour antécédent le pronom *moi*.

31. deux cents, deux cent cinquante, quatre-vingts, cent

➤ Les mots *vingt* et *cent* sont variables s'ils terminent le nombre et sont multipliés par un autre nombre (deux cents dollars, quatre-vingts dollars); ils sont invariables s'ils sont employés seuls (cent dollars, vingt dollars) ou suivis d'un autre déterminant numéral (deux cent cinquante dollars, quatre-vingt-un dollars).

32. A et D

➤ Le nombre *mille* est toujours invariable; les mots *vingt* et *cent* sont invariables lorsqu'ils sont suivis de *mille*, qui est un déterminant numéral (quatre-vingt mille, deux cent mille, etc.).

33. B et C

➤ Les mots *vingt* et *cent* sont variables lorsqu'ils sont suivis des noms *millier*, *million* ou *milliard* (quatre-vingts milliers, quatre-vingts millions, quatre-vingts milliards, deux cents millions, etc.); ces trois noms ont une valeur numérale, mais ils ne sont pas considérés comme des déterminants numéraux.

34. tout surpris, toute bouleversée, toutes joufflues, tout assoiffées

➤ Devant un adjectif masculin, l'adverbe *tout* est invariable (tout surpris). Devant un adjectif féminin, il est variable si l'adjectif commence par une consonne ou un *h* aspiré (toute bouleversée, toutes joufflues); il est invariable si l'adjectif commence par une voyelle ou un *h* muet (tout assoiffées).

35. original, placé

➤ Les pronoms indéfinis *quelque chose* et *personne* sont du genre neutre; les mots qui s'y rapportent s'écrivent au masculin singulier (quelque chose d'original, Personne n'est mieux placé).

36. D

➤ Au pluriel, les noms des jours de la semaine prennent un *s*; les mots *matin*, *midi* et *soir* qui leur sont apposés sont invariables, selon la tendance actuelle (les lundis matin, les lundis midi, les lundi soir, etc.).

37. a bel et bien l'intention

➤ La locution adverbiale *bel et bien* est toujours invariable. Dans la locution verbale *l'échapper belle*, le participe passé *échappé* est toujours invariable. Les mots *fini* et *vive* sont invariables lorsqu'ils précèdent un nom au pluriel, selon la tendance actuelle.

38. plein les poches, sacs pleins d'or, plein le dos

➤ Le mot *plein* a valeur de préposition et est invariable devant un déterminant et un nom (plein les poches, plein le dos). Le mot *plein* est adjectif et variable lorsqu'il signifie « rempli » ; au féminin, on écrirait *pleines* (des sacs pleins d'or, des poches pleines d'or).

39. aux délices infinies

➤ Les mots *amour* et *délice* sont du genre masculin au singulier et du genre féminin au pluriel (un doux amour, un pur délice / des amours passionnées, aux délices infinies).

40. le plus d'efforts possible, tous les efforts

➤ Dans *le plus d'efforts possible*, le mot *possible* est invariable, car on sous-entend « qu'il était possible ». Dans *tous les efforts possibles*, le mot *tous* est un déterminant ou un adjectif indéfini et il s'accorde avec *efforts*, masc. plur. ; dans cette expression, le mot *possible* est variable, car on sous-entend « qui sont possibles ». Notez que l'expression *sans fautes*, dans le sens de « sans erreurs », se met habituellement au pluriel ; cette expression est invariable seulement lorsqu'elle signifie « à coup sûr » (je viendrai demain sans faute).

AUTOÉVALUATION

1. des plus sombres, disparus

2. C

3. A

4. dévore

5. B

6. quatre-vingt mille dollars ; quatre-vingts balles

7. laissé flatter

8. A

9. J'en ai eu quinze ; Quelle chance ils ont eue

10. se sont plu, deux enfants tout souriants

AUTORELAXATION

Le Petit Épinal

➤ Quels propos bêtes et méchants ! Je vous dis que les couteaux *volaient bas* !

➤ Quel goinfre ! Il a *avalé tout rond* six hot-dogs relish, moutarde, oignons en six minutes !

➤ Je ne mens pas, monsieur le juge, c'est la *vérité toute nue* !

➤ Vous *tombez juste*. On avait justement besoin de vous !

➤ Depuis les déboires qu'ils ont connus, je vous dis qu'ils n'en *mènent pas large* !

➤ Tope là ! Les Canadiens l'ont *emporté haut la main* !

AUTOCORRECTION

1. Je hais

➤ Le verbe *haïr* a un *h* aspiré et il doit être précédé du pronom *je* à la 1re pers. du sing. (je hais, je haïssais, etc.). Ce verbe ne prend pas de tréma sur le *i* aux trois personnes du singulier de l'indicatif présent (je hais, tu hais, il hait); il garde le tréma dans tout le reste de la conjugaison.

2. crains, entends, atteint

➤ Aux trois personnes du singulier de l'indicatif présent, les verbes en *-endre*, comme *entendre*, gardent le *d* de leur radical (j'entends, tu entends, il entend); les verbes en *-aindre* et en *-eindre*, comme *craindre* et *atteindre*, perdent le *d* de leur radical (je crains, tu crains, il craint, j'atteins, tu atteins, il atteint).

3. joindre

➤ Aux trois personnes du singulier de l'indicatif présent, le verbe *joindre* s'écrit *je joins, tu joins, il joint*; les autres verbes de la liste gardent le *d* de leur radical (j'apprends, tu apprends, il apprend, je couds, tu couds, il coud, etc.).

4. résout, absout, convainc

➤ Aux trois personnes du singulier de l'indicatif présent, les verbes *résoudre* et *absoudre* perdent le *d* de leur radical (je résous, tu résous, il résout); le verbe *convaincre*, tout comme *vaincre*, garde le *c* de son radical (je convaincs, tu convaincs, il convainc).

5. romps, mets, Tu admets, Je l'admets, bat, combats

➤ Aux trois personnes du singulier de l'indicatif présent, le verbe *rompre* perd le *r* de son radical (je romps, tu romps, il rompt); les verbes en *-ettre* et en *-attre*, comme *mettre* et *battre*, ne gardent qu'un *t* muet (je mets, tu mets, il met, je bats, tu bats, il bat).

6. bout (et non bouille)

➤ Aux trois personnes du singulier de l'indicatif présent, le verbe *bouillir* s'écrit: *je bous, tu bous, il bout*; le verbe *se foutre* s'écrit: *je me fous, tu te fous, il se fout*.

7. C

➤ À la 2e pers. du plur. de l'indicatif présent, les verbes *dire* et *redire* se terminent par *-tes* (vous dites, vous redites); tous les autres dérivés de *dire* se terminent par *-sez* (vous contredisez, vous interdisez, vous prédisez, etc.).

8. A

➤ À la 2e pers. du plur. de l'indicatif présent, le verbe *faire* et tous ses dérivés se terminent par *-tes* (vous faites, vous satisfaites, vous défaites, etc.).

9. ferme (et non fermes)

➤ À la 2e pers. du sing. de l'impératif présent, les verbes du 1er groupe se terminent par *-e*, contrairement à l'indicatif présent où ils se terminent par *-es* (ferme la télé / tu fermes la télé); sauf quelques exceptions, les verbes des autres groupes se terminent par *s*, comme à l'indicatif présent (dors / tu dors, mets / tu mets, etc.).

10. offre, va, aie, sois, sache

➤ À la 2e pers. du sing. de l'impératif présent, les verbes *offrir*, *aller*, *avoir* et *savoir* ne prennent pas de *s* (offre, va, aie, sache) ; les formes de *offrir* et *aller* sont dérivées de l'indicatif présent (tu offres / offre, tu vas / va), tandis que celles de *avoir* et de *savoir* sont dérivées du subjonctif présent (que tu aies / aie, que tu saches / sache). Le verbe *être* se termine par *s* (sois assuré).

11. cueilles-en

➤ Les verbes qui se terminent par -*e* à la 2e pers. du sing. de l'impératif présent prennent un *s* suivi d'un trait d'union devant le pronom complément *en* ou *y* (cueilles-en, cueilles-y) ; le verbe *aller*, lorsqu'il a pour complément le pronom *y*, suit la même règle (vas-y).

12. veux, Veuille

➤ À l'impératif présent, on emploie *veux, voulons, voulez* dans l'expression *en vouloir à*, à la forme négative (ne lui en veux pas, ne lui en voulons pas, ne lui en voulez pas) ; dans les autres cas, on emploie *veuille, veuillons, veuillez*.

13. B et E

➤ À l'impératif présent, le verbe *s'asseoir* s'écrit : *assois-toi, assoyons-nous, assoyez-vous* ; on écrit aussi : *assieds-toi, asseyons-nous, asseyez-vous*. La première conjugaison (assois, assoyons) est beaucoup plus utilisée que la seconde (assieds, asseyons).

14. A

➤ À la 1re pers. du sing. du subjonctif présent, tous les verbes se terminent par -*e* (que je voie, que j'aie) ; seul le verbe *être* fait exception (que je sois). Pour s'assurer que l'on a affaire à un subjonctif présent plutôt qu'à un indicatif présent, on remplace le verbe par *dise* (que je voie / que je dise).

15. coures, acquières

➤ À la 2e pers. du sing. du subjonctif présent, tous les verbes se terminent par -*es* (que tu coures, que tu acquières) ; seul le verbe *être* fait exception (que tu sois). Pour s'assurer que l'on a affaire à un subjonctif présent plutôt qu'à un indicatif présent, on remplace le verbe par *dises* (que tu coures / que tu dises).

16. ait, soit, serve, aille

➤ À la 3e pers. du sing. du subjonctif présent, seuls les verbes *avoir* et *être* se terminent par -*t* (qu'on ait, que ce soit). Tous les autres verbes se terminent par -*e* (qu'on serve, que j'aille). Notez que, à ce temps, le verbe *aller* s'écrit : *que j'aille, que tu ailles, qu'il aille, que nous allions, que vous alliez, qu'ils aillent*.

17. meure (et non meurt)

➤ À la 3e pers. du sing. du subjonctif présent, tous les verbes se terminent par -*e* (que le public rie, sans qu'il meure, que la vie lui sourie), sauf *avoir* et *être* qui se terminent par -*t*. Pour s'assurer que l'on a affaire à un subjonctif présent, on remplace le verbe par *dise* (sans qu'il meure / sans qu'il dise).

18. ayons, voyions, soyons, souciions, mettions

➤ À la 1ʳᵉ pers. du plur. du subjonctif présent, tous les verbes se terminent par -ions (que nous mettions), même si leur radical contient déjà un i ou un y (que nous nous souciions, que nous voyions) ; seuls les verbes *avoir* et *être* font exception (que nous ayons, que nous soyons).

19. que vous ayez, que vous criiez, que vous fuyiez

➤ À la 2ᵉ pers. du plur. du subjonctif présent, tous les verbes se terminent par -iez, même si leur radical contient déjà un i ou un y (que vous criiez, que vous fuyiez) ; seuls les verbes *avoir* et *être* font exception (que vous ayez, que vous soyez).

20. veuillent, fassent

➤ À toutes les personnes du subjonctif présent, le verbe *vouloir* a pour radical *veuill-* (que je veuille, que tu veuilles, etc.) et le verbe *faire* a pour radical *fass-* (que je fasse, que tu fasses, etc.).

21. brassions, voyions, souciions

➤ À la 1ʳᵉ pers. du plur. de l'indicatif imparfait, tous les verbes se terminent par -ions (nous brassions), même si leur radical contient déjà un i ou un y (nous nous souciions, que nous voyions).

22. C

➤ À la 2ᵉ pers. du plur. de l'indicatif imparfait, tous les verbes se terminent par -iez (vous surveilliez), même si leur radical contient déjà un i ou un y (vous employiez, vous étudiiez).

23. Si je faisais

➤ À toutes les personnes de l'indicatif imparfait, le verbe *faire* a pour radical *fais-*, et les lettres *fai* se prononcent « fe » (je faisais, tu faisais, etc.) ; au conditionnel présent, le radical est *fe-* (je ferais, tu ferais, etc.).

24. copieras, jouerai, ennuierai

➤ C'est le radical de l'infinitif présent qui sert à former l'indicatif futur simple. Les verbes comme *copier*, *jouer*, *saluer*, etc., conservent donc la lettre *e* qui cependant devient muette (copier / copierai, jouer / jouerai, etc.) ; dans les verbes comme *ennuyer*, *essuyer*, etc., la lettre *y* change en *i* devant le *e* muet (ennuyer / ennuierai, essuyer / essuierai). Ces remarques s'appliquent aussi au conditionnel présent (copierais, jouerais, ennuierais).

25. créerait, inclurait

➤ C'est le radical de l'infinitif présent qui sert à former le conditionnel présent. Les verbes comme *créer*, *agréer*, etc., conservent donc la lettre *e* qui cependant devient muette (créer / il créerait) ; dans les verbes comme *nettoyer*, *déployer*, etc., la lettre *y* change en *i* devant le *e* muet (nettoyer / il nettoierait). Les verbes *inclure*, *exclure* et *conclure* n'ayant pas de *e* à l'infinitif présent, ils ne peuvent en avoir au conditionnel présent (inclure / il inclurait). Toutes ces remarques s'appliquent aussi à l'indicatif futur simple.

26. C et E

➤ À l'infinitif passé de la voix active, le verbe se conjugue normalement avec *avoir* à l'infinitif présent, suivi du participe passé (avoir chanté) ; ici, le verbe n'a pas de COD et le participe passé est invariable (chanté). À la voix pronominale, le verbe se conjugue avec *être* ; ici, le participe passé s'accorde avec le pronom COD qui le précède (s'être amusée).

27. B

➤ Au participe passé, forme composée, de la voix active, le verbe se conjugue normalement avec *avoir* au participe présent, suivi de la forme simple du participe passé (ayant envahi) ; ici, le COD suit le verbe, le participe passé est donc invariable (envahi). Certains verbes intransitifs, comme *tomber, arriver, partir*, etc., se conjuguent avec *être* et leur participe passé s'accorde avec le sujet (la neige étant tombée).

28. J'ai dit, Elle a compris, la rumeur a couru

➤ À l'indicatif passé simple, on écrit : *je dis, tu dis, il dit, je compris, tu compris, il comprit, je courus, tu courus, il courut.* Au passé composé, on écrit : *j'ai dit, tu as dit, il a dit, j'ai compris, tu as compris, il a compris, j'ai couru, tu as couru, il a couru.*

29. tu fis, tu pus, tu réussis, tu voulus

➤ À l'indicatif passé composé, on écrit : *j'ai fait, tu as fait, il a fait, j'ai pu, tu as pu, il a pu, j'ai réussi, tu as réussi, il a réussi, j'ai voulu, tu as voulu, il a voulu.* Au passé simple, on écrit : *je fis, tu fis, il fit, je pus, tu pus, il put, je réussis, tu réussis, il réussit, je voulus, tu voulus, il voulut.*

30. avais écrit, aurait ri, passer

➤ À l'indicatif plus-que-parfait, *écrire* se conjugue : *j'avais écrit, tu avais écrit, il avait écrit*, etc. Au conditionnel passé, *rire* se conjugue : *j'aurais ri, tu aurais ri, il aurait ri*, etc. Dans *Tâchez de passer, passer* est un infinitif présent ; on pourrait remplacer ce verbe en *-er* du 1er groupe par un verbe en *-re* du 3e groupe (de passer / de prendre).

31. il changea

➤ Les verbes en *-ger*, comme *changer*, ont un *e* muet après le *g*, devant *a* et *o* (il changeait, il changea, en changeant, nous changeons) ; le *e* muet indique que la lettre *g* se prononce « j » (*g* doux).

32. commenceras-tu

➤ Les verbes en *-cer*, comme *commencer*, prennent une cédille sous le *c* seulement devant *a* et *o* (en commançant, je commençais, nous commençons). Cette règle vaut aussi pour les verbes en *-cevoir*, comme *recevoir* (je reçois, je reçus, j'ai reçu). La cédille indique que la lettre *c* se prononce « s » (*c* doux).

33. A

➤ Les verbes en *-eler*, comme *harceler, geler, peler*, etc., changent *e* en *è* devant un *e* muet (il harcèle, il harcèlera, il harcèlerait). Les verbes en *-eler*, comme *ensorceler, appeler, épeler*, etc., prennent deux *l* devant un *e* muet (il ensorcelle, il ensorcellera, il ensorcellerait) ; les verbes du type *ensorceler* ou *appeler* sont les plus fréquents.

34. pellette (et non pelte), achète

➤ Les verbes en *-eter*, comme *pelleter, jeter, épousseter*, etc., prennent deux *t* devant un *e* muet (il pellette, il jette, il pellettera, il jettera, il pelleterait, il jetterait). Les verbes en

-eter, comme *acheter, haleter, fureter,* etc., changent e en è devant un e muet (il achète, il achètera, il achèterait). Les verbes du type *pelleter* ou *jeter* sont les plus fréquents.

35. gérait, réglera, régnera

➤ Les verbes qui, comme *gérer, régler, régner,* etc., ont un é fermé à l'avant-dernière syllabe de l'infinitif changent é en è seulement devant une syllabe muette finale (il gère, il règle, il règne); dans les autres cas, on écrit é (il gérait, il réglera, il régnera, il gérerait, il réglerait, il régnerait). Au futur simple et au conditionnel présent, l'écriture avec è ouvert, qui correspond à la véritable prononciation, est cependant tolérée (il règlera, il règnera, il règlerait, il règnerait); un jour cette prétendue erreur sera peut-être la norme...

36. on se connaît, Cela me paraît, vous me connaîtrez

➤ Les verbes en -*aître,* comme *connaître, naître, paraître,* etc., prennent un î seulement devant la lettre t (il connaît, il paraît, je connaîtrai, je paraîtrai, etc.). Les verbes *plaire* et *déplaire* prennent un î seulement devant le t de la 3e pers. du sing. de l'indicatif présent (s'il vous plaît, cela me déplaît).

37. nous haïmes

➤ Le verbe *haïr* garde le tréma sur le i à la 1re et à la 2e pers. du plur. du passé simple (nous haïmes, vous haïtes). Il en est également ainsi à la 3e pers. du sing. du subjonctif imparfait (j'eusse préféré qu'il me haït).

38. de n'avoir pas su

➤ Aux temps composés, l'expression de négation *ne... pas* encadre l'auxiliaire (n'avoir pas su, je n'ai pas su, n'ayant pas su, etc.); aux temps simples, *ne... pas* encadre le verbe (je ne sais pas, je ne savais pas, etc.), sauf à l'infinitif présent (ne pas savoir).

39. tomba-t-il, ne tomba-t-il pas

➤ À la forme interrogative, lorsque le verbe se termine par une voyelle devant *il, elle* ou *on,* on intercale un t « euphonique », précédé et suivi d'un trait d'union (tomba-t-il, tomba-t-elle, tomba-t-on, tombe-t-il, etc.); aux temps simples de la forme interrogative négative, l'expression de négation *ne pas* encadre le verbe et le pronom qui suit (ne tomba-t-il pas).

40. mord-il, reprend-elle, convainc-t-il

➤ Dans une interrogation à l'indicatif présent, le d muet qui termine certains verbes se prononce t devant *il, elle* ou *on* : mord-il, reprend-elle, *répond-il* se prononcent « mort-il », « reprent-elle », « répont-il ». Dans le cas des verbes *vaincre* et *convaincre,* on met un t euphonique entre le c muet et le pronom *il, elle* ou *on* (vainc-t-il, convainc-t-il).

AUTOÉVALUATION

1. je te hais, je ne te crains pas

2. atteint

3. A

4. vas-y

5. qu'il croie, qu'il ait

6. B

7. a appris, conclurait

8. C

9. je paraîtrais

10. A et F

AUTORELAXATION

L'Arc-en-verbes du professeur Bêcherède

1. a (avoir)
2. as (avoir)
3. passe
4. passé
5. passer
6. rêve
7. rêvé
8. revêt
9. vêt
10. revêtir
11. vêtir
12. revêtira
13. vêtira
14. étira
15. tira
16. ira
17. revêtiras
18. vêtiras
19. étiras
20. tiras
21. iras
22. assoyez
23. soyez
24. oyez (oir)
25. zappa (zapper)
26. apparaît
27. paraît
28. parait (parer)
29. para (parer)
30. ait (avoir)
31. apparaîtra
32. paraîtra
33. râpe
34. râpé
35. râper
36. aperçu
37. perçu
38. aperçut
39. aperçût (subj.-pl.-q.-parf.)
40. perçut
41. perçût (subj.-pl.-q.-parf.)
42. aperçûtes
43. perçûtes
44. percute
45. percuté
46. percutes
47. percutés
48. es (être)

AUTOCORRECTION

1. Petit Poucet, Petit Chaperon rouge, Grand Méchant Loup

► Dans les noms propres désignant des personnages imaginaires, le nom et l'adjectif qui précède prennent la majuscule, tandis que l'adjectif qui suit prend la minuscule (le Petit Poucet, le Petit Chaperon rouge, le Grand Méchant Loup).

2. Erik le Rouge, campement viking

► Dans *Erik le Rouge*, le mot *Rouge* est un adjectif employé comme nom et il prend la majuscule ; de même, on écrit *Julie la Rousse, Martin le Malin*, etc. Le mot de population, ou «gentilé», prend la majuscule lorsqu'il est employé comme nom (le Viking, une Européenne) et la minuscule lorsqu'il est employé comme adjectif (ce campement viking, la colonie européenne).

3. B

► Les mots *noir, blanc* et *jaune* prennent la majuscule lorsqu'ils sont employés comme noms de personnes (les Noirs, une Blanche) et la minuscule lorsqu'ils sont employés comme adjectifs (les hommes noirs, la minorité blanche).

4. D

► Dans un nom composé de population, les deux éléments prennent la majuscule (deux Franco-Manitobains) ; l'adjectif correspondant s'écrit avec des minuscules (deux écrivains franco-manitobains). Dans ces mots composés, le premier élément est invariable (deux Franco-Manitobains, des Terre-Neuviens, des auteurs anglo-québécois, etc.).

5. cet illustre Canadien français

► On écrit *Canadien français*, avec *C* majuscule et *f* minuscule, sans trait d'union, pour désigner le nom de population (cet illustre Canadien français) ; on écrit *canadien-français*, avec minuscules et trait d'union, pour désigner l'adjectif correspondant (le premier premier ministre canadien-français). Cette règle s'applique aussi aux mots *Canadien anglais* et *canadien-anglais*.

6. sont français

► Le mot *français* prend la minuscule lorsqu'il est employé comme adjectif épithète ou attribut (les internautes français, qui sont français), ou encore comme nom pour désigner la langue (parler le français). Le mot *Français* prend la majuscule lorsqu'il désigne un nom de population ; un déterminant accompagne généralement le gentilé (les Français, ce sont des Français).

7. du dieu Hercule, le Créateur, Dieu du ciel

► Le nom *Dieu* prend la majuscule lorsqu'il désigne une divinité unique (Dieu créa, Dieu du ciel) ; le nom *dieu*, ou son féminin *déesse*, prend la minuscule lorsqu'il désigne un personnage mythologique ou une idole (du dieu Hercule, de la déesse Vénus, les dieux, beau comme un dieu, etc.). Les autres mots désignant le Dieu unique prennent aussi la majuscule (le Créateur, le Tout-Puissant, le Seigneur, etc.).

8. C

➤ Lorsqu'il désigne une fête civile ou religieuse, le nom *fête* prend la minuscule et le complément qui suit, la majuscule (la fête des Pères, la fête des Mères, la fête du Travail, etc.).

9. la Journée de la femme

➤ Lorsqu'ils désignent un événement commémoratif, les mots *journée, jour, semaine, mois* et *année* prennent la majuscule et le complément qui suit, la minuscule (la Journée de la femme, la Semaine des secrétaires, etc.).

10. C et E

➤ Dans les expressions désignant des périodes historiques, le nom et l'adjectif qui le précède prennent la majuscule, tandis que l'adjectif qui le suit prend la minuscule (la Deuxième Guerre mondiale, au Moyen Âge, la Révolution française, les Temps modernes, etc.).

11. Mercure, Vénus, Terre, Mars, Jupiter, Saturne, Uranus, Neptune, Pluton

➤ Les noms de planètes s'écrivent avec la majuscule (la planète Mercure, Vénus, la Terre, etc.). Notez que la formule du maître permet aussi de se rappeler la position de chaque planète par rapport au Soleil, de la plus rapprochée (Mercure) à la plus éloignée (Pluton).

12. au clair de lune, un coup de lune, marcher sur la Lune

➤ Le mot *lune* s'écrit habituellement avec une minuscule (au clair de lune, un coup de lune, une lune de miel, etc.) ; il prend la majuscule seulement lorsqu'il désigne l'astre, dans la langue de l'astronomie (marcher sur la Lune, les phases de la Lune, etc.). Ces règles s'appliquent aussi aux mots *terre* et *soleil* (les pieds sur terre / la planète Terre ; un coup de soleil / la distance de la Terre au Soleil).

13. je suis née Poissons

➤ On écrit *Poissons* parce que ce signe s'appelle *les Poissons*. Tous les signes du zodiaque et des autres horoscopes prennent la majuscule et sont invariables (je suis née Poissons, je suis née Dragon, elle est née Taureau, ils sont Chien, etc.).

14. A

➤ Dans les dénominations d'associations syndicales ou professionnelles, on met la majuscule seulement au premier nom (la Confédération des syndicats nationaux, la Centrale des syndicats du Québec, etc.). Ces dénominations sont habituellement désignées par un sigle (la CSN, la CSQ, etc.).

15. B

➤ Dans les dénominations de partis politiques, on met la majuscule au premier nom et à l'adjectif qui précède, et la minuscule à l'adjectif qui suit (le Parti libéral, le Bloc québécois, le Nouveau Parti démocratique, l'Alliance canadienne, etc.). Les deux noms qui servent à former une dénomination prennent la majuscule (le Parti Rhinocéros, le Parti Égalité, etc.).

16. de libéraux, de péquistes, d'adéquistes, Chambre des communes

➤ Les noms désignant les membres de partis politiques s'écrivent avec la minuscule (les libéraux, les péquistes, etc.); l'adjectif correspondant prend nécessairement la minuscule (députés libéraux, conservateurs, etc.). Dans les dénominations d'organismes d'État, le premier nom prend la majuscule (l'Assemblée nationale, la Chambre des communes, la Cour suprême, etc.).

17. le ministère de l'Industrie et du Commerce, le ministère de l'Éducation

➤ Dans les dénominations des ministères et de leurs titulaires, les noms *ministère* et *ministre* prennent la minuscule et chaque complément qui suit prend la majuscule (le ministre ou le ministère de l'Éducation, le ministre ou le ministère de l'Industrie et du Commerce, etc.).

18. au cégep Lionel-Groulx, le Cégep Lionel-Groulx

➤ Dans les dénominations d'établissements, le premier nom prend la minuscule si l'établissement est considéré comme un lieu physique (a étudié au cégep Lionel-Groulx) et la majuscule s'il est considéré comme une personne morale (le Cégep Lionel-Groulx est réputé). C'est le contexte qui détermine l'emploi de la majuscule ou de la minuscule.

19. l'École polytechnique, du Stade olympique

➤ Lorsque la dénomination d'un établissement ou d'un bâtiment est formée d'un nom et d'un adjectif, le nom prend la majuscule et l'adjectif, la minuscule (l'École polytechnique, du Stade olympique). Selon une recommandation de l'OLF, le nom *Université* conserve toujours la majuscule dans une dénomination (l'Université de Montréal, l'Université Laval, etc.).

20. au Grand Théâtre de Québec

➤ Lorsque la dénomination d'un établissement ou d'un bâtiment commence par un adjectif et un nom, on met la majuscule à chacun de ces mots (au Grand Théâtre de Québec, à la Grande Bibliothèque du Québec).

21. C et E

➤ Dans les dénominations d'établissements, on peut mettre la minuscule au premier nom s'il est suivi d'un nom propre (le musée Gilles-Villeneuve, le musée du Québec); on peut aussi employer la majuscule si on considère l'établissement comme une personne morale (le Musée Gilles-Villeneuve accueille les visiteurs, le Musée du Québec organise une exposition). On met la majuscule au premier nom s'il est suivi d'un nom commun (le Musée de la monnaie) ou d'un adjectif (le Musée national de l'aviation).

22. les eaux du lac Saint-Jean, les habitants du Lac-Saint-Jean

➤ Dans les dénominations de lieux, ou « toponymes », le premier nom prend la minuscule s'il sert à désigner un lieu naturel (les eaux du lac Saint-Jean) ; il prend la majuscule et le trait d'union s'il sert à désigner un lieu administratif, telle une région (les habitants du Lac-Saint-Jean).

23. la rivière du Loup, du fleuve Saint-Laurent

▶ Dans *la rivière du Loup* et *du fleuve Saint-Laurent*, les mots *rivière* et *fleuve* prennent la minuscule parce qu'il s'agit de lieux naturels ; dans *la ville de Rivière-du-Loup* et *Conte du Bas-du-Fleuve*, les mots *Rivière-* et *-Fleuve* prennent la majuscule et le trait d'union parce qu'il s'agit d'une ville et d'une région (lieux administratifs).

24. du rocher Percé

▶ Dans *du rocher Percé*, le mot *rocher* prend la minuscule parce qu'il s'agit d'un lieu naturel ; pour la même raison, on écrit *golfe* et *île* dans *le golfe du Saint-Laurent* et *l'île Bonaventure*.

25. océan Arctique, mer de Béring

▶ Dans *l'océan Arctique* et *la mer de Béring*, les mots *océan* et *mer* prennent la minuscule parce qu'il s'agit de lieux naturels ; pour la même raison, on écrit *le détroit de Béring*. Notez que l'adjectif qui suit le nom prend la majuscule (l'océan Arctique, l'océan Pacifique, la mer Noire, etc.).

26. La baie d'Hudson, la baie James, la municipalité de Baie-James

▶ Dans *La baie d'Hudson* et *la baie James*, le mot *baie* prend la minuscule parce qu'il s'agit de lieux naturels ; dans *la municipalité de Baie-James*, le mot *Baie-* prend la majuscule et le trait d'union parce qu'il s'agit d'une municipalité.

27. le mont Tremblant tremble

▶ Dans *le mont Tremblant tremble*, le mot *mont* prend la minuscule parce qu'il s'agit d'un lieu naturel ; pour la même raison, on écrit *les montagnes Rocheuses*. Dans *originaire de Mont-Tremblant*, on écrit *Mont-* parce qu'il s'agit d'une ville.

28. B, D et F

▶ Dans les expressions désignant des voies de circulation, ou «odonymes», le premier nom prend la minuscule, tandis que le nom ou l'adjectif qui suit prend la majuscule (le boulevard Métropolitain, l'avenue des Pins, la rue des Érables, l'autoroute des Laurentides, le pont Laviolette, le tunnel Ville-Marie).

29. dans le Nord, au pôle Nord, au nord de Montréal

▶ Les noms désignant les points cardinaux, soit *nord*, *sud*, *est* et *ouest*, prennent la majuscule lorsqu'ils désignent un lieu géographique (le pôle Nord, le pôle Sud) ou une région (se reposer dans le Nord, aller dans le Sud) ; le point cardinal désignant une région prend cependant la minuscule s'il est suivi d'un complément (au nord de Montréal, le sud du Québec).

30. rue Saint-Denis Ouest, du soleil de l'est

▶ Les noms des points cardinaux prennent la majuscule lorsqu'ils terminent un nom de rue (rue Saint-Denis Ouest, avenue Laurier Ouest, etc.) ; ils prennent la minuscule lorsqu'ils désignent une position de la boussole (du soleil de l'est, je regarde à l'ouest, le vent du sud, etc.). La distinction entre un lieu désignant une position de la boussole et un lieu désignant une région n'est pas toujours évidente ; c'est parfois l'intention qui détermine l'emploi de la minuscule ou de la majuscule : l'avion s'envole vers le sud (boussole) ou le Sud (région).

31. le Nord-Ouest québécois

➤ Lorsque deux points cardinaux désignent un lieu géographique ou une région, ils prennent la majuscule et le trait d'union (le Nord-Ouest québécois) ; ils prennent cependant la minuscule si un complément du nom suit (le nord-ouest du Québec). Notez que les points cardinaux prennent normalement la majuscule et le trait d'union lorsqu'ils terminent un nom de région (la Côte-Nord, la Rive-Sud, les Cantons-de-l'Est).

32. C

➤ Dans les dénominations de manifestations culturelles, le premier nom prend la majuscule et les mots qui suivent prennent la minuscule, sauf s'il s'agit d'un nom propre (le Carnaval de Québec, le Salon du livre de Rimouski, le Festival de la crevette de Matane, les Jeux olympiques de Montréal, etc.).

33. A

➤ En règle générale, les noms désignant des récompenses, tels que *coupe, prix, trophée*, etc., prennent la minuscule (la coupe Stanley, la coupe Grey, le trophée Maurice-Ri-chard, un trophée Félix, le prix Fémina, le prix Nobel, etc.).

34. B

➤ Dans les titres d'œuvres, le premier nom, l'article défini et l'adjectif qui le précèdent prennent la majuscule *(La Petite Poule d'eau, La Montagne secrète)* ; deux noms précédés de l'article défini prennent la majuscule, mais le second article prend la minuscule *(La Détresse et l'Enchantement)*. Le titre qui ne commence pas par un article défini ou qui est formé d'une phrase complète prend la majuscule au premier mot seulement *(Bonheur d'occasion, Ces enfants de ma vie, De quoi t'ennuies-tu, Éveline?)*. Il convient de noter qu'une nouvelle tendance préconise l'emploi de la majuscule au premier mot du titre et aux seuls noms propres qui en font partie *(La petite poule d'eau, Le ciel de Québec,* etc.). Cependant, on continue d'appliquer les règles traditionnelles dans le cas des journaux et périodiques *(La Presse, Le Devoir,* etc.). Les titres d'œuvres se mettent en italique.

35. l'État du Vatican, les catholiques

➤ Le nom *État* prend la majuscule lorsqu'il désigne un territoire ou une autorité politique (l'État du Vatican, un chef d'État, etc.) ; dans les autres cas, on emploie la minuscule (état de santé, en bon état, etc.). Le nom désignant les adeptes d'une religion prend la minuscule (les catholiques, les protestants, etc.). Notez qu'on écrit *Église* lorsqu'on désigne l'ensemble des fidèles (l'Église catholique, l'Église protestante) et *église* lorsqu'on désigne le lieu du culte (dans toutes les églises, aller à l'église, etc.).

36. monsieur Robert Lamoureux, monsieur Roger Bontemps, Monsieur Tout-le-Monde

➤ Le mot *monsieur* s'écrit habituellement au long et avec la minuscule, qu'il soit employé seul (Eh ! monsieur ! Non, monsieur), devant un nom de personne (monsieur Robert Lamoureux) ou devant un titre (monsieur le maire). On écrit *Monsieur* dans *Monsieur Tout-le-Monde* et dans les formules de politesse (Veuillez agréer, Monsieur, Monsieur le Maire). Ces règles s'appliquent aussi aux mots *madame* et *mademoiselle*.

37. B

➤ On écrit *saint*, avec minuscule, sans trait d'union, lorsque ce mot sert à désigner la personne elle-même (la fête de saint Laurent, saint Jean Baptiste) ; on écrit *Saint-*, avec majuscule et trait d'union, lorsque ce mot ne désigne pas la personne elle-même (le fleuve Saint-Laurent, le collège Saint-Laurent, la Saint-Jean-Baptiste, etc.).

38. Le frère Marie-Victorin, la célèbre Flore laurentienne

➤ Les noms *frère*, *père*, *sœur*, etc. prennent la minuscule lorsqu'ils désignent les membres d'un ordre religieux (le frère Marie-Victorin, le père Ambroise, sœur Angèle, etc.) ; ils prennent la majuscule lorsqu'ils font partie de la dénomination

même de l'ordre religieux (les Frères des écoles chrétiennes, les Sœurs grises de la Charité, etc.). Dans « la célèbre *Flore laurentienne* », l'adjectif qui suit le nom principal du titre prend la minuscule.

39. a lieu le 24 juin, fêtent le 24 Juin

➤ Les noms de mois prennent la minuscule lorsqu'ils désignent une date (a lieu le 24 juin, a lieu le 14 juillet) ; ils prennent la majuscule lorsqu'ils désignent un jour de fête (fêtent le 24 Juin, fêtent le 14 Juillet, etc.).

40. le mercredi des Cendres

➤ Lorsqu'ils servent à désigner un jour de fête, les noms des jours de la semaine prennent la minuscule s'ils sont suivis d'un complément (le mercredi des Cendres, le lundi de Pâques) ; ils prennent la majuscule s'ils sont suivis d'un adjectif (le Mardi gras, le Jeudi saint, le Vendredi saint). Lorsque le mot *jour* sert à désigner la fête, il prend la minuscule et son complément, la majuscule (le jour de l'An, le jour du Souvenir, le jour des Morts, etc.).

AUTOÉVALUATION

1. B

2. Canadiens anglais

3. dieu

4. A

5. A

6. D et F

7. décroché la lune

8. C

9. B

10. saint Jean Baptiste, secret d'État

AUTORELAXATION

Les « farfelivres » de M. Tranchefile

Titres écrits selon les règles traditionnelles d'emploi de la majuscule

1. *Le Survenant*, Germaine Guèvremont

2. *Les Chambres de bois*, Anne Hébert

3. *Un homme et son péché*, Claude-Henri Grignon

4. *Menaud, maître-draveur*, Félix-Antoine Savard

(Note : *maître-draveur* devrait s'écrire *maître draveur*, sans trait d'union, mais on doit respecter le titre tel que l'a écrit l'auteur)

5. *Une saison dans la vie d'Emmanuel*, Marie-Claire Blais

6. *Pélagie-la-Charette*, Antonine Maillet

7. *Tayaout, fils d'Agaguk*, Yves Thériault

8. *Éthel et le terroriste*, Claude Jasmin

9. *L'Homme rapaillé*, Gaston Miron

10. *Regards et jeux dans l'espace*, Hector de Saint-Denys Garneau

11. *La grosse femme d'à côté est enceinte*, Michel Tremblay

12. *Un simple soldat*, Marcel Dubé

13. *Ces enfants d'ailleurs*, Arlette Cousture

14. *L'Ombre de l'épervier*, Noël Audet

15. *Le Nez qui voque*, Réjean Ducharme

16. *Les aventures de Sivis Pacem et de Para Bellum, tome I*

AUTOCORRECTION

1. C

➤ On ne met pas de point à la fin d'une phrase citée entre guillemets et suivie d'une incise ; on met une virgule après le dernier guillemet, appelé *guillemet fermant*, pour annoncer une incise (en tapis magique », dit un élève).

2. corr. : de l'an 2000, déplore M. Net
corr. : de Nostradamus. »

➤ On ne met pas de point à la fin d'une phrase immédiatement suivie d'une incise ; on ne conserve que la virgule qui annonce l'incise (de l'an 2000, déplore M. Net). On met un point à la fin de la dernière phrase d'une citation ; ce point se place avant le guillemet fermant (de Nostradamus. »).

3. corr. : dit : « Il n'y a pas
corr. : sont parmi nous ! »

➤ On met une majuscule au premier mot d'une citation annoncée par les deux-points et le guillemet ouvrant (a déclaré : « Il n'y a pas). Le point d'exclamation qui termine la dernière phrase d'une citation se place avant le guillemet fermant (sont parmi nous ! ») ; cette règle s'applique aux signes de ponctuation forts, tels que le point final, le point d'exclamation, le point d'interrogation et les points de suspension.

4. corr. : de tout : des céréales
corr. : des saucisses, etc.
corr. : sans bouffer tout…

➤ On met une minuscule au premier mot qui suit les deux-points annonçant une énumération (de tout : **d**es céréales) ; on met une majuscule seulement après les deux-points et le guillemet annonçant une citation (il dit : « **C**hez Bouffe-Tout). On ne met pas de point à la fin d'une phrase si elle se termine par un point abréviatif (des saucisses, etc.) ou par des points de suspension (sans bouffer tout…).

5. A

➤ Lorsqu'une phrase interrogative contient des deux-points annonçant une énumération d'autres questions, chaque élément de l'énumération commence par une minuscule (Quel est ce bel oiseau qui chante dans l'arbre : **u**n merle bleu ? **u**n merle américain ? **u**n merle moqueur ?). Plus simplement, cette énumération aurait pu s'écrire : *un merle bleu, un merle américain ou un merle moqueur ?*

6. B

➤ Lorsqu'une phrase interrogative se termine par un point d'interrogation et est suivie d'une énumération d'autres questions, on met une majuscule après chaque point d'interrogation (Quel est ce bel oiseau qui chante dans l'arbre ? Un merle bleu ? Un merle américain ? Un merle moqueur ?). L'emploi des deux-points, comme au numéro 5, permet de lier plus clairement l'énumération à l'interrogation principale.

7. C

➤ La virgule de l'incise se place après le point d'interrogation seulement si un guillemet fermant l'en sépare (la neige? », dit Roméo); la virgule est omise si l'incise suit immédiatement le point d'interrogation (n'est-ce pas? dit Fleurette).

8. ma copine Dandinette.

➤ La proposition qui suit *Je me demande* est une interrogative indirecte et elle doit se terminer par un point (Je me demande quelle mouche a piqué ma copine Dandinette.). L'interrogative indirecte n'est jamais suivie d'un point d'interrogation. Pour créer un effet de style, on peut aussi la faire terminer par un point d'exclamation (Je me demande quelle mouche a piqué ma copine Dandinette!) ou par des points de suspension (Je me demande quelle mouche a piqué ma copine Dandinette...).

9. B et D

➤ Lorsque la citation qui suit les deux-points n'est pas encadrée de guillemets, elle commence par une minuscule (au proverbe qui dit : **q**ui risque rien n'a rien.); lorsqu'elle est encadrée de guillemets, elle commence par une majuscule et le point final se place avant le guillemet fermant (au proverbe qui dit : « **A**ide-toi, le ciel t'aidera. »).

10. B

➤ Habituellement, on met un point d'exclamation après une interjection et une minuscule au mot qui suit ce point; si la phrase est courte, on la termine aussi par un point d'exclamation (Ah! **c**omme la neige a neigé!). La virgule de l'incise se place

après le point d'exclamation seulement si un guillemet fermant l'en sépare (la neige a neigé! », s'écrie); on ne met pas de virgule immédiatement après un point d'exclamation (Ah! comme la neige).

11. corr. : Réponds-moi donc! dit Ding
corr. : Ha! ha! tu es

➤ Lorsqu'une incise suit immédiatement un point d'exclamation, on omet la virgule (Réponds-moi donc! dit Ding). Dans une interjection répétée, on met un point d'exclamation après chaque élément et une minuscule au mot qui suit ce point (Ha! **h**a! **t**u es).

12. C

➤ Lorsqu'une phrase contient deux citations entre guillemets, on évite d'utiliser les deux-points; chaque citation commence par une minuscule et le point final se place après le guillemet fermant de la deuxième citation (Jésus a dit « je suis celui qui est » et Hitler, dans sa folie meurtrière a dit « je suis celui qui hait ».). Cette façon de ponctuer permet d'utiliser les signes forts de ponctuation à la fin de la phrase (point, point d'interrogation, point d'exclamation et points de suspension). Il convient de noter que dans ce cas l'emploi de la majuscule au début de chaque citation est très fréquent, mais il est moins justifié, étant donné l'omission des deux-points.

13. corr. : Lefebvre et Morin ».
corr. : premier roi du Québec ».

➤ Lorsqu'une phrase est citée sans être annoncée par les deux-points, elle commence par une minuscule et le point final se place après le guillemet fermant (« jusqu'au xixe siècle... Lefebvre et Morin ».). Lorsqu'une citation est formée d'un mot ou d'une expression, le point final se place après le guillemet fermant (premier roi du Québec».).

14. après Gagnon et Côté. »

➤ Lorsqu'une citation contient plus d'une phrase et que la dernière phrase citée commence par une majuscule, le point final se place avant le guillemet fermant («le patronyme Tremblay... occupe aujourd'hui le 1er rang. Le patronyme Roy est maintenant... après Gagnon et Côté. »).

15. il " a du panache " (guillemets anglais)

➤ Les guillemets français (« ») encadrent la citation principale d'un texte et les guillemets anglais (" ") encadrent les citations secondaires. Dans ce texte, la hiérarchie des guillemets doit se présenter comme suit : «Les critiques... il "a du panache"... la tête d'affiche du film ! »

16. A

➤ En ponctuation classique, le début du dialogue est annoncé par un guillemet ouvrant («Bonjour ! dit un psychiatre) et chaque réplique qui suit est annoncée par un tiret (– Que voulez-vous dire ?). La fin du dialogue est notée par un guillemet fermant placé avant la dernière incise (Que voulez-vous dire ?», lui répond).

17. C

➤ En ponctuation moderne, on n'utilise pas les guillemets pour indiquer le début et la fin d'un dialogue. Seul le tiret est utilisé pour annoncer le début de chaque réplique (– Bonjour ! dit un psychiatre, – Que voulez-vous dire ?). Cette ponctuation est la plus employée en raison de sa grande simplicité.

18. C

➤ Dans une énumération de sujets, chaque élément est séparé par une virgule ; le dernier élément se termine aussi par une virgule s'il s'agit de l'abréviation *etc.* (L'hirondelle, la corneille, le merle, etc., annoncent) ; si le dernier sujet est de même nature que ceux qui précèdent, l'emploi de la virgule devant le verbe est facultatif (L'hirondelle, la corneille, le merle, annoncent / L'hirondelle, la corneille, le merle annoncent).

19. la planche à voile et la planche de surf

➤ Chaque élément d'une énumération est séparé par une virgule, sauf le dernier s'il est relié aux autres par la conjonction *et* (la planche à roulettes, la planche à voile et la planche de surf). Notez que l'incise insérée dans une citation est encadrée de virgules (serait plate, dit Pat Burton, si on me privait).

20. en forêt, monsieur, on a

➤ Le *mot en apostrophe*, qui désigne la personne à qui l'on s'adresse, est encadré ou séparé par la virgule (en forêt, monsieur, on a ; votre hamburger, monsieur). Notez que, comme la conjonction *et*, la conjonction *ou* n'est pas précédée d'une virgule lorsqu'elle relie le dernier élément d'une énumération (de la relish, de la moutarde ou du ketchup).

21. B

➤ Normalement, on met une virgule devant la conjonction *et* lorsque celle-ci unit deux verbes qui ont des sujets de personnes différentes : *Les enfants s'arrosent* (3e pers. plur.) *dans la piscine, et le bonheur* (3e pers. sing.) *les arrose de joie.* On ne met pas de virgule devant la conjonction *et* lorsque celle-ci unit deux verbes qui ont des sujets différents de la même personne (Les enfants s'arrosent dans la piscine et leurs parents rient aux éclats), à moins que l'on veuille souligner une nette opposition.

22. A et D

➤ La conjonction *et* n'est pas précédée d'une virgule si elle est employée deux fois dans une énumération (cela a fait plaisir et aux enfants et aux parents) ; si elle est employée plus de deux fois, elle est précédée d'une virgule, sauf au début de l'énumération (cela a fait plaisir et aux enfants, et aux parents, et au Père Noël). Dans ce type d'énumération, le premier *et* n'est jamais précédé d'une virgule (et aux enfants).

23. Ni elle ni moi n'aimons

➤ Comme dans le cas de la conjonction *et*, la conjonction *ni* n'est pas précédée d'une virgule si elle est employée deux fois (Ni elle ni moi n'aimons ; Je ne mets ni lait ni sucre) ; si elle est employée plus de deux fois, elle est précédée d'une virgule, sauf au début de l'énumération (ne met ni lait, ni sucre, ni succédané). Cette règle s'applique aussi à la conjonction *ou* (ou elle ou moi ; ou elle, ou lui, ou moi).

24. corr. : diplômé, se présente corr. : la secrétaire, éberluée

➤ L'apposition qui suit le nom *Sébastien* doit être encadrée de virgules (Sébastien, un jeune étudiant fraîchement diplômé, se présente). L'adjectif détaché qui suit le nom *secrétaire* doit être séparé par une virgule (la secrétaire, éberluée) ; on trouve un cas semblable à la ligne suivante (Sébastien, affolé). L'apposition et l'adjectif détaché apportent des précisions sur le mot qui les précède.

25. dans l'hiver, c'est le froid

➤ Lorsqu'un mot, un groupe de mots ou une proposition sont mis en évidence dans une phrase, on les fait suivre d'une virgule (Ce que je déteste dans l'hiver, c'est le froid ; L'hiver, je l'aime ; Moi, j'aime l'hiver).

26. corr. : bien, bien long corr. : toute, toute petite

➤ Lorsqu'on répète le même mot ou la même expression dans une phrase, on sépare chaque élément par une virgule (Ce ne sera pas bien, bien long ; une carie toute, toute petite ; Ouvre ta bouche grande, grande).

27. corr. : S'il fait beau demain, il travaillera corr. : reprendra son travail quand il sera

➤ En règle générale, le complément circonstanciel en début de phrase est séparé par une virgule (S'il fait beau demain, il travaillera ; Hier, M. Tapetout a travaillé ; Chose certaine, M. Tapetout). Quant au complément circonstanciel qui suit le verbe, il n'est habituellement pas séparé par une virgule (reprendra son travail quand il sera) ; cette règle comporte de nombreuses exceptions.

255

28. B

➤ La virgule qui sépare le complément circonstanciel en début de phrase peut être omise lorsqu'il y a inversion du sujet (En ce temps-là vivaient les terribles tyrannosaures); on procéderait de la sorte en A et en B s'il y avait inversion du sujet (Sur notre planète régnaient les dinosaures; Durant l'ère jurassique prévalait la loi).

29. corr. : l'émission « Salut, les sportifs corr. : La Sainte Flanelle, si je ne m'abuse, vient

➤ Le mot en apostrophe doit être séparé par une virgule (« Salut, les sportifs»). Tout commentaire inséré dans une phrase, qu'il s'agisse d'un mot, d'un groupe de mots ou d'une proposition, doit être encadré par des virgules (La Sainte Flanelle, si je ne m'abuse, vient; Le Tricolore, à mon avis, est; L'auréole du Canadien, avouons-le, a perdu).

30. B

➤ On encadre de virgules la relative dite «explicative», qui apporte une explication non essentielle au sens de la phrase (Certains citoyens, qui souvent sont mal renseignés, doutent). Dans les exemples A et C, les relatives ne sont pas encadrées de virgules, car elles contiennent des renseignements essentiels au sens de la phrase. C'est souvent le contexte qui détermine le caractère essentiel ou non essentiel de la relative.

31. Mais il ne veut pas

➤ Lorsqu'une conjonction de coordination est placée en début de phrase, la virgule peut être omise (Mais il ne veut pas); cette règle s'applique surtout aux conjonctions d'une seule syllabe: *car, donc, or, mais, puis,* etc. Lorsque cette conjonction unit deux verbes dans une phrase, elle doit être précédée d'une virgule (Jacques a 18 ans, donc il a; J'ai 17 ans, mais j'en parais 18; Va voter, sinon j'irai). Les principales conjonctions de coordination sont: *car, donc, or, mais, cependant, pourtant, toutefois, sinon, puis, ensuite, alors,* etc.

32. C

➤ On omet la virgule devant la conjonction de coordination si le mot ou l'expression qui suit doit normalement être encadré de virgules (à bon prix mais, bien entendu, il exige); on évite ainsi l'accumulation de virgules comme dans l'exemple A.

33. B

➤ Lorsqu'il y a ellipse ou omission du verbe dans une proposition reliée par *et,* on met une virgule à la place qu'occuperait le verbe (Kevin apprend le français et Céline, l'anglais); l'ellipse est utilisée pour éviter la répétition du verbe (Kevin apprend le français et Céline apprend l'anglais).

34. B et D

➤ Lorsqu'il y a ellipse du verbe dans une suite de propositions, on sépare chaque proposition par une virgule, sauf la dernière si elle commence par *et*: Kevin apprend le français, Céline l'anglais, Roch l'italien et Isabelle l'espagnol. On peut aussi séparer chaque propositon par un point-virgule, y compris celle qui commence par *et*; chaque verbe omis dans une proposition est alors remplacé par une virgule (Kevin apprend le français; Céline, l'anglais; Roch, l'italien; et Isabelle, l'espagnol).

35. trois anniversaires : le 6, celui de Robert

➤ On utilise les deux-points pour annoncer une énumération (trois anniversaires : le 6, celui de Robert). Si l'énumération est longue et contient déjà des virgules, on utilise le point-virgule pour séparer chacun de ses éléments (trois anniversaires : le 6, celui de Robert ; le 10, celui de Marielle ; le 14, jour de la Saint-Valentin, celui de tous les Lasanté).

36. C

➤ Le point-virgule permet de séparer dans une même phrase les propositions qui présentent un lien logique évident ou qui marquent une nette opposition (Les jeunes souhaitent le changement ; les adultes le craignent). Dans les exemples A et B, le point final sépare deux phrases plus autonomes où l'idée avancée dans la première est développée plus à fond dans la seconde. En règle générale, le point-virgule assure la symétrie de la phrase et le point final, la continuité entre les phrases du texte.

37. B

➤ Lorsque deux noms de lieux servent à former un mot composé de région, on sépare chaque nom par un trait d'union (l'Abitibi-Témiscamingue) ; si l'un des deux noms contient déjà un ou plusieurs traits d'union, on sépare les deux noms par un tiret (la Mauricie–Bois-Francs, le Saguenay–Lac-Saint-Jean). Notez qu'en ce cas aucun espacement n'est fait avant ou après le tiret.

38. C

➤ Lorsqu'un commentaire est mis en valeur par des tirets, la ponctuation de la phrase reste inchangée ; la virgule qui sépare le complément en début de phrase doit se placer après le « tiret fermant » (Pour célébrer leurs noces de papier — un an, quel lien fragile ! —, M. Cascade et Mme Rolland ont visité). Le commentaire entre tirets commence par la minuscule et il peut se terminer par les signes forts de ponctuation (point d'exclamation, point d'interrogation, points de suspension), sauf le point.

39. B

➤ Le commentaire en fin de phrase se fait à l'aide d'un seul tiret, le tiret ouvrant ; comme le tiret fermant est omis, la phrase peut se terminer par un signe fort de ponctuation, y compris le point final (à Val-des-Bois — cinq ans de vie au foyer, ça se fête au coin du feu !).

40. corr. : leurs noces de perle. (corr. : leurs noces d'or...), je ne raterai pas

➤ On doit mettre un point à la fin de la 1re phrase, car la 2e phrase, placée entre parenthèses, est complète, avec majuscule et point final : *leurs noces de perle. (Seules des perles rares peuvent vivre trente ans ensemble.)* Le complément *Pour tout l'or du monde* devrait normalement être séparé du reste de la phrase par une virgule ; comme il est suivi d'une proposition entre parenthèses, la virgule se place après la parenthèse fermante : *Pour tout l'or du monde (je ne puis attendre leurs noces d'or...), je ne raterai pas l'occasion.*

AUTOÉVALUATION

1. C

2. C et D

3. A

4. A et C

5. B

6. les Québécois, c'est le complexe Desjardins ! (Note : « complexe » peut aussi s'écrire « Complexe »)

7. A

8. B

9. B et C

10. corr. : western ! —, il crie corr. : langue de picouille ! »

AUTORELAXATION

Les deux amis de Sylvie Wonder

Merci à mes deux amis : Beethoven, mon maître, et « Beethov », mon chien-guide !

AUTOCORRECTION

1. arsenic

➤ Dans *arsenic*, la lettre *e* ne prend pas d'accent et se prononce « e ». Notez que tous les mots de la famille de *crème*, sauf ce mot, s'écrivent avec un *e* accent aigu (crémeux, crémerie, crémage, écrémé, etc.).

2. sans trêve

➤ En français, deux mots en -*ève* prennent un accent circonflexe sur le *e* : *trêve* et *rêve*. Notez que l'on écrit *Bohême*, avec majuscule et *ê*, pour désigner la région elle-même ; on écrit *bohème*, avec minuscule et *è*, pour désigner un style de vie.

3. ambiguïté, suraigu

➤ Le nom *ambiguïté*, tout comme *contiguïté* et *exiguïté*, prend un tréma sur le *i* pour indiquer que le *u* qui précède se prononce distinctement. Seuls le féminin des adjectifs en -*gu*, tels que *aigu, ambigu, contigu, exigu, suraigu*, et le nom *ciguë* prennent un tréma sur le *e* muet final pour indiquer que le *u* qui précède se prononce distinctement (un ton suraigu, un cri aigu / une voix suraiguë, des douleurs aiguës, la ciguë).

4. infamie, bâillonne

➤ Le nom *infamie* ne prend pas d'accent circonflexe sur le *a*, alors que l'adjectif *infâme* en prend un. Le verbe *bâillonner*, tout comme les noms *bâillon* et *bâillonnement*, prend un accent circonflexe sur le *a*. Notez que les mots *repartie* et *re-*partir, dans le sens de « réplique » et « répliquer », s'écrivent habituellement sans accent aigu ; l'emploi de cet accent est cependant accepté (une répartie, répartir) ; dans une invocation, l'interjection *ô* prend un accent circonflexe.

5. Cela, pylône, cyclone

➤ Le pronom *cela* ne prend pas d'accent grave sur le *a*, alors que le présentatif *voilà* en prend un (Cela est / Voilà qui est). Le nom *pylône* prend un accent circonflexe sur le *o*, alors que le nom *cyclone* n'en prend pas. Notez que le nom *abîme* prend un accent circonflexe sur le *i*, alors que le nom *cime* n'en prend pas.

6. affûté, choucroute, futé

➤ Les mots *affûté* ou *affûter, affûtage, affûteur* et *à l'affût* prennent un accent circonflexe sur le *u*, comme le nom *fût* dont ils sont issus ; l'adjectif *futé*, qui ne dérive pas de ce nom, ne prend pas d'accent circonflexe sur le *u*. Le mot *choucroute* ne prend pas d'accent circonflexe sur le *u*, alors que les mots *croûte, croûté, croûton* et *encroûté* en prennent un.

7. fichument, prétendument

➤ Les adverbes *fichument* et *éperdument* ne prennent pas d'accent circonflexe sur le *u* ; les six autres adverbes usuels en -*ument* sont : *absolument, ambigument, éperdument, ingénument, irrésolument* et *résolument*. Les huit principaux adverbes en -*ûment* sont donnés dans la liste ci-dessus, en excluant *fichument* et *éperdument*.

8. gerçures, C'est

➤ Le nom *gerçures* prend une cédille sous le *c*; le pronom *C'*, dans *C'est*, n'en prend pas. On met une cédille sous le *c* pour indiquer qu'il se prononce «s» devant les voyelles *a, o* et *u* seulement (gla**ç**ait, gla**ç**on, ger**ç**ures / gla**c**ial, C'est dé**c**idé).

9. A

➤ Le pronom *ça* ne s'élide pas devant le *a* du verbe *avoir*, conjugué aux temps simples (ça a, ça avait, ça aura, ça aurait). Pour éviter ce tour difficile, on peut remplacer *ça* par *cela* (cela a, cela avait, etc.).

10. B et D

➤ Dans la langue courante, le pronom *ça* ne s'élide pas devant le *a* de l'auxiliaire *avoir*, aux temps composés d'un verbe; on écrit: **ça** a été, **ça** avait été, **ça** aura été, **ça** aurait été. Dans la langue littéraire, le pronom *ça* s'élide devant l'auxiliaire *avoir*: ç'a été, ç'avait été, ç'aura été, ç'aurait été.

11. presque invisible

➤ Le mot *presque* ne s'élide que devant le mot *île* pour former le nom *presqu'île*; on doit écrire *presque* devant tout autre mot commençant par une voyelle ou un *h* muet (presque invisible, presque en même temps, presque humiliant, etc.). Notez que le mot *jusque* s'élide toujours devant une voyelle (jusqu'au XIXe siècle, jusqu'à demain, etc.).

12. quelque agacement

➤ Le mot *quelque* ne s'élide que devant le mot *un* pour former le pronom *quelqu'un*; on doit écrire *quelque* devant tout autre mot commençant par une voyelle ou un *h* muet (quelque agacement, quelque intérêt, quelque autre personne, quelque humiliant que ce soit, etc.).

13. Quoiqu'elle soit, Quoique irrévocable

➤ Le mot *quoique* s'élide seulement devant les mots *il, ils, elle, elles, on, un* et *une* (Quoiqu'elle soit, quoiqu'on dise, quoiqu'un chanteur dise, etc.); on écrit *quoique* devant tout autre mot commençant par une voyelle ou un *h* muet (Quoique irrévocable, quoique humiliant, quoique aucun ne dise, etc.). Cette règle s'applique aussi aux mots *lorsque, parce que* et *puisque*.

14. D

➤ Chaque pronom personnel complément placé après un verbe à l'impératif se joint à celui-ci par un trait d'union et le complément d'objet direct *le, la* ou *les* se place avant le complément d'objet indirect (prête-la-moi, prête-le-moi, prête-les-lui, prête-les-nous, etc.).

15. C

➤ À la forme négative de l'impératif présent, l'expression *ne... pas* encadre le verbe, et les pronoms compléments qui le précèdent ne sont pas reliés par un trait d'union (ne me la rends pas).

16. souviens-t'en

➤ À la 2e pers. du sing. de l'impératif présent, le pronom personnel *toi* s'élide en *t'* devant *en*: on écrit *souviens-t'en, viens-t'en, va-t'en*, au lieu de «souviens-toi-en», «viens-toi-en», «va-toi-en». Le pronom *moi* fait de même devant *en* ; on écrit *parle-m'en, demande-m'en, offrem'en* au lieu de « parle-moi-en », « demande-moi-en », « offre-moien ».

17. photo : appareil photo, photocomposition, photocopie, photo-interprétation, roman-photo, photosynthèse

➤ Lorsque le mot *photo* est apposé à un nom, il ne prend pas de trait d'union (un appareil photo, un album photo, une pellicule photo), sauf dans *roman-photo*. Comme préfixe, le mot *photo* se soude au mot qui suit, sauf devant *i* afin d'éviter l'écriture « oi » (photocomposition, photocopie, photosynthèse / photointerprétation, photo-ionisation).

18. micro : microanalyse, microbiologie, microclimat, microéconomie, micro-informatique, micro-ordinateur

➤ Le préfixe *micro* se soude au mot qui suit, sauf devant *o, i* et *u* afin d'éviter les écritures « oo », « oi » et « ou » (microanalyse, microbiologie / micro-informatique, microordinateur, micro-utilisation). À quelques exceptions près, cette règle d'emploi du trait d'union s'applique à tous les préfixes en *-o*, tels que *audio, auto, bio, cardio, électro, hydro, macro, mono, psycho, socio, vidéo*, etc.

19. archisèche, archiduché

➤ Lorsque le préfixe *archi* est employé dans le sens de « très » devant un adjectif, il se soude à l'adjectif qui commence par une consonne et il se joint par un trait d'union à l'adjectif qui commence par une voyelle (ar-chisèche, archipropre / archi-usée). Lorsque *archi* est employé dans le sens de « au premier rang », il se soude au mot qui suit (archiduchesse, archiduc, archiduché, archiépiscopat, etc.).

20. 1. antiasthmatique 2. antigang 3. anti-inflammatoire 4. anti-sous-marin 5. anti-Québec

➤ Le préfixe *anti* se soude au mot qui suit, sauf si celui-ci commence par *i* afin d'éviter l'écriture « ii » (antiasthmatique, antigang / antiinflammatoire). Par ailleurs, le préfixe *anti* prend un trait d'union devant un nom propre (anti-Québec) ou un mot composé (anti-sousmarin). Notez que ce préfixe prend aussi un trait d'union devant un sigle (anti-CSN).

21. pro : proallié, prochinois, profédéraliste, pro-indépendantiste, pro-libre-échange, pro-ZLEA

➤ Le préfixe *pro* se soude au mot qui suit, sauf devant *i, o* et *u* afin d'éviter les écritures « oi », « oo » et « ou » (proallié, prochinois / pro-indépendantiste, pro-ouvrier, pro-universalisme). Par ailleurs, le préfixe *pro* prend un trait d'union devant un sigle ou un nom propre (pro-ZLEA, pro-Québec) et devant un mot composé (pro-libre-échange).

22. C

➤ Le préfixe *extra* se soude au mot qui suit, sauf devant *u* afin d'éviter l'écriture « au » (extracorporelle, extraconjugal, extradoux / extrautérin). Notez que *extra* doit aussi prendre un trait d'union devant *a* et *i* afin d'éviter les écritures « aa » et « ai » (extra-amical, extra-important). Ces règles d'emploi du trait d'union s'appliquent à tous les préfixes en -a, tels que *méga, méta, infra, intra, supra,* etc.

23. C

➤ Le préfixe *ultra* se soude au mot qui suit si celui-ci commence par une consonne (ultrachic, ultrafrais, ultamoderne). Le préfixe *ultra* est séparé par un trait d'union si le mot qui suit commence par *a, i* et *u* (ultra-agréable, ultra-indépendant, ultra-utile); devant les autres voyelles, l'usage est hésitant, mais il est préférable d'utiliser le trait d'union, étant donné que la plupart des mots composés avec *ultra* sont occasionnels (ultra-élégant, ultra-ordonné).

24. mon pardessus, en dessous

➤ Le nom *pardessus*, qui désigne un vêtement, s'écrit en un mot. Les locutions *en dessous, en dessus, en avant, en arrière, en dedans, en dehors*, etc., s'écrivent sans trait d'union, alors que les locutions *par-dessous, par-dessus, par-devant, par-derrière, par-dedans, par-dehors*, etc., s'écrivent avec un trait d'union.

25. au-delà

➤ Les locutions *au-delà, au-deçà, au-dedans, au-dehors, au-dessus, au-dessous* et *au-devant* s'écrivent avec un trait d'union, alors que les autres locutions, telles que *au travers, au bord, au côté*, etc., s'écrivent sans trait d'union. Notez que le préfixe *télé* est habituellement soudé au mot qui suit (téléspectateurs, télésérie, téléavertisseur, etc.).

26. co : coauteur, coédition, coïncidence, coïnculpé, colocataire, copilote

➤ Le préfixe *co* se soude au mot qui suit (coauteur, colocataire, copilote). Par ailleurs, lorsque *co* est suivi de la lettre *i*, celle-ci prend un tréma afin d'indiquer que les lettres *o* et *i* se prononcent distinctement (coïncidence, coïnculpé); on peut aussi utiliser le trait d'union dans un emploi occasionnel du préfixe (co-inventeur). Le cas échéant, le préfixe *co* doit être suivi d'un trait d'union devant *u* (co-universitaire).

27. B

➤ Les préfixes se terminant par -*i*, tels que *multi, pluri, mini, maxi, quadri*, etc., se soudent au mot qui suit (multilingue, multiethnique, plurilingue, minibus, maximanteau, quadrimoteur). Le cas échéant, le préfixe en -*i* doit être suivi d'un trait d'union devant un autre *i* (multi-institutionnel, pluri-institutionnel).

28. chez soi

➤ Lorsque les expressions telles que *chez moi, chez toi, chez soi, chez nous,* etc., ne sont pas précédées d'un déterminant, elles s'écrivent sans trait d'union (que chacun se sente bien chez soi, je suis allée chez toi); lorsque ces expressions sont précédées d'un déterminant, elles forment un nom composé signifiant « domicile » et s'écrivent avec un trait d'union (un beau chez-toi = un beau domicile, mon chez-moi = mon domicile, etc.).

29. un non-fumeur, de la viande non fumée

➤ L'adverbe *non* prend un trait d'union s'il est suivi d'un nom (un non-fumeur, la non-ingérence) ; il ne prend pas de trait d'union s'il est suivi d'un adjectif (de la viande non fumée, ce qui est non négligeable). Cette règle s'applique aussi au mot *quasi* (la quasi-certitude / être quasi certain). Le préfixe *ex*, dans le sens de « ancien », se joint au nom qui suit par un trait d'union (un ex-fumeur, un ex-député, etc.).

30. mi-grange, mi-salle à manger ; à mi-jambes

➤ Le préfixe *mi* se joint au nom ou à l'adjectif qui suit par un trait d'union (mi-grange, mi-salle à manger ; à mi-jambes ; la mi-août, mi-joyeux, mi-sérieux). Lorsque les mots *mi... mi* sont séparés du mot qui suit par une préposition, ils ne prennent pas de trait d'union (mi par goût, mi par obligation ; mi pour se détendre, mi pour s'instruire). Notez que le mot *mi* est toujours invariable.

31. B et C

➤ L'expression *et demi* s'écrit sans trait d'union et le mot *demi* prend seulement le genre du nom qui précède (une heure et demie, deux heures et demie, midi et demi, un jour et demi, deux jours et demi). Lorsque le mot *demi* est placé devant un nom, il se joint à celui-ci par un trait d'union et est invariable (une demi-heure, deux demi-journées, des demi-frères).

32. à demi-voix, à demi pleins, aux trois quarts

➤ Lorsque l'expression *à demi*, toujours invariable, est placée devant un nom, elle se joint à celui-ci par un trait d'union (à demi-voix, à demi-mot) ; devant un adjectif, elle s'écrit sans trait d'union (à demi pleins, à demi vides). Lorsque le mot *demi* est placé devant un adjectif, il est invariable et se joint à celui-ci par un trait d'union (verres demi-pleins, demi-vides).

Les expressions désignant des fractions telles que *un quart, deux quarts, un tiers, deux tiers*, etc., ne prennent pas de trait d'union (verres aux trois quarts vides, aux deux tiers vides, etc.).

33. nu-membres, pêcheuse-née

➤ Lorsque le mot *nu* est placé devant un nom désignant une partie du corps, il est invariable et se joint à ce nom par un trait d'union (nu-membres, nu-tête) ; après le nom, le mot *nu* est variable et s'écrit sans trait d'union (membres nus, tête nue). Le participe passé ou l'adjectif *né* prend un trait d'union lorsqu'il est placé après un nom et qu'il signifie « de naissance » (une pêcheuse-née, un artiste-né) ; devant un nom, ce mot ne prend pas de trait d'union (Je suis née pêcheuse).

34. A et C

➤ Les éléments *ci* et *là* sont liés par un trait d'union au mot *par* ou *de* qui les précède (par-ci par-là, de-ci de-là). Les éléments *çà* ainsi que *là* sont soudés au mot *de* qui les précède (decà delà, en deçà, en delà, par-deçà, par-delà). La locution *çà et là*, comme *ici et là*, ne prend pas de trait d'union.

35. D

➤ Dans les nombres composés inférieurs à *cent*, tous les éléments sont reliés par un trait d'union, sauf si le nombre contient la conjonction *et*. On écrit donc : *vingt et un, vingt-deux, vingt-trois... soixante et un, soixante-deux, soixante-trois... soixante et onze, soixante-douze, soixante-treize... quatre-vingts, quatre-vingt-un, quatre-vingt-deux... quatre-vingt-onze, quatre-vingt-douze... quatre-vingt-dix-huit, quatre-vingt-dix- neuf... cent un, cent deux,* etc.

36. B

➤ Les accents se placent sur les majuscules comme sur les minuscules (Être et être, Ève, ÎLE et île, À et à, NOËL et Noël). Seuls les sigles font exception à cette règle (UQAM, REER, DEC) ; cette façon de faire permet d'éviter les difficultés de prononciation ou de lecture des sigles (par exemple, REER se prononce en deux syllabes « RE-ER » et se lit mieux que REÉR).

37. A) É.-U.   B) N.-É.   C) Î.-P.-É

➤ Lorsque les lettres d'un sigle sont séparées par des points abréviatifs, les accents et le trait d'union du mot abrégé sont conservés (É.-U., N.-É., Î.-P.-É). Cela permet d'éviter les difficultés de prononciation ou de lecture qu'engendrerait l'absence de signes orthographiques (EU, NE, IPE).

38. qu'y a-t-il, Laissez-moi vous expliquer

➤ Dans une interrogation contenant un *t* « euphonique », le trait d'union se place de part et d'autre de cette lettre, soit après le verbe et avant le pronom sujet *il;* le pronom complément *y* n'est pas séparé par un trait d'union (qu'y a-t-il). Dans *Laissez-moi vous expliquer*, le pronom *moi* est complément de l'impératif et il se joint à celui-ci par un trait d'union ; le pronom *vous* n'est pas lié par un trait d'union parce qu'il est complément de l'infinitif (Laissez-moi vous expliquer = Laissez-moi expliquer à vous).

39. C

➤ L'expression *ras le bol* s'écrit sans trait d'union lorsqu'elle est employée comme locution adverbiale (J'en ai ras le bol) ; elle s'écrit avec des traits d'union lorsqu'elle est employée comme nom composé avec un déterminant (le ras-le-bol, un ras-le-bol). L'expression *jusque-là* s'écrit toujours avec un trait d'union.

40. le prix Maurice-Écrevisse

➤ Lorsqu'un trophée, un prix, un établissement, une voie publique, un organisme, etc., porte le nom d'une personne, on met un trait d'union entre le prénom et le nom de famille (le trophée Maurice-Richard, le prix Maurice-Écrevisse, le théâtre Denise-Pelletier, le boulevard René-Lévesque, la Fondation Lucie-Bruneau, etc.). Le fait que la personne soit vivante ou morte ne change rien à la règle ! Notez que le nom *ego* conserve son orthographe latine et s'écrit sans accent aigu.

AUTOÉVALUATION

1. rébellion

2. je rabâche, poème

3. ingénument, l'icône

4. C

5. C

6. sa non-culpabilité

7. A

8. B

9. B

10. un chez-soi

AUTORELAXATION

Une table d'hôte qui a « la pate legere » !

LA PÂTE LÉGÈRE
Menu détaillé

Nos entrées prêtes à manger

➤ Papilles de langue de vipère non venimeuse, séchées ou vinaigrées.

➤ Croûtons du geôlier de Québec, semi-grillés ou semi-brûlés.

➤ Bâtonnets de céleri trempés dans une sauce sure de fromage de chèvre de Sillery.

➤ Minicuisses de têtard salé en eau saumâtre (pattes palmées d'or au festival de Cannes de l'année dernière).

Nos soupes aromatiques

➤ Chaudrée du pêcheur (morceaux de poissons de catégorie « A » variés — sans queue ni tête ni arêtes — et îlots de pommes de terre râpées, bouillis dans de l'eau de marée basse).

➤ Soupe maelström (bolée tourbillon de légumes du maraîcher, cultivés en serre chaude).

Nos salades fraîches

➤ Salade à Ti-d'Ail (salade préférée du chef, composée de laitue frisée et de gousses d'ail cryogénique hachées ou en comprimés).

➤ Salade d'Épicure (délicieuse salade de taons et de guêpes nichés dans de pâles pétales, dardés de fines piqûres et aromatisés de nectar de pêche).

Notre table d'hôte à quatre bonnes pâtes

➤ Pâtes molles sautées à l'érable (cuites dans un poêlon à demi rempli de sirop de bûches de Noël provenant d'un érable frais scié).

➤ Pizza omertà (croûte toute garnie de salamis dont nous avons intérêt à taire l'identité).

➤ Triple pâte napolitaine (pâtes à trois étages colorés — blanchâtre, jaunâtre et brunâtre — disposées et apprêtées au goût du client).

➤ Pâte fromagée à la tête de lord (drôle de pâte ragoûtante à l'arôme fumant, choix de dix têtes modèles).

Nos desserts et boissons invitant à la sobriété

➤ Gâteau mille-et-une-feuilles (composé entièrement de feuilles de papier mâché recyclé).

➤ Tarte aux mûres mûres (soufflée à l'antirot et entartrée d'un produit antitartre qui émaille les dents gâtées).

➤ Thé et café bien échaudés (lait écrémé et succédané de sucre servis à volonté).

➤ Vin maison blanc, rouge ou rosé, envoûtant et peu déroutant (appellation, couleur et taux d'alcool contrôlés à 0,08 %).

Menus détails

➤ Prix du repas à déterminer lors d'un préarrangement avec le client (dépôt en argent liquide dans le pot de vin caché sous la table).

➤ Bonbonne de sûreté en cas de brûlures aiguës d'estomac (placée sous la table, à côté du pot de vin).

Bon appétit !

AUTOCORRECTION

1. Ah! que je suis fatigué ; Ah! si vous saviez

➤ L'interjection *ah!* exprime un sentiment vif (Ah! que je suis fatigué ; Ah! si vous saviez) ; elle se joint parfois à d'autres mots tels que *oui, non, bon, ça alors,* etc., pour marquer l'insistance (Ah oui! je suis fatigué ; ah bon!). L'interjection *ha!* sert surtout à exprimer le rire et elle est souvent répétée (Ha! ha! ha! vous me faites bien rire!).

2. Eh! quel ennui! ; ont bel et bien déclenché ; Eh bien! je prendrai ; Hé! taxi!

➤ L'interjection *eh!* s'emploie seule ou dans une locution pour exprimer un sentiment vif (Eh! quel ennui! ; Eh bien! je prendrai). Dans la locution *bel et bien* le mot *et* est une conjonction de coordination (ont bel et bien déclenché). L'interjection *hé!* sert surtout à exprimer un appel et peut se remplacer par « hep! » (Hé! taxi! = Hep! taxi!).

3. Ô Jésus ; Oh! quel enfant ; Ho! ho! ho! je monte

➤ L'interjection *ô* sert à exprimer une prière à quelqu'un (Ô Jésus). L'interjection *oh!* s'emploie seule ou dans une locution pour exprimer un sentiment vif (Oh! quel enfant sage! ; Oh oui! cet enfant). L'interjection *ho!* sert surtout à exprimer le rire et elle est habituellement répétée (Ho! ho! ho! je monte).

4. A et C

➤ Les locutions interjectives *ho! ho!* ainsi que *hé! hé!* servent à exprimer un appel au loin (Ho! ho! où es-tu ; Hé! hé! où es-tu). Les interjections *ho!* ainsi que *hé!* expriment aussi un appel, mais avec une insistance moins marquée (Ho! attends-moi! ; Hé! écoutez-moi!).

5. Euh! que pensez-vous ; Euh! je ne sais pas ; heu! paradis!

➤ L'interjection *euh!* exprime le doute, l'embarras face à ce que l'on va dire ou répondre (Euh! que pensez-vous ; Euh! je ne sais pas) ; l'interjection *heu!* exprime la difficulté ou l'hésitation à prononcer un mot (au papara... heu! paradis!). Notez que l'on emploie souvent les points de suspension plutôt que le point d'exclamation après ces deux interjections (Euh... que pensez-vous ; Euh... je ne sais pas ; au papara... heu... paradis!).

6. C

➤ Dans *Par acquit de conscience*, le nom *acquit*, qui provient de *acquitter*, se termine par *-t*. Dans *un fait acquis*, l'adjectif *acquis*, qui provient du participe passé de *acquérir*, se termine par *-s* au masc. sing. ; au fém. sing., il s'écrit *acquise* (une chose acquise).

7. après chaque changement subit

➤ Dans *après chaque changement subit*, le mot *subit* est un adjectif qui signifie «brusque, soudain» et qui se termine par *-t* au masc. sing. ; au fém. sing., il s'écrit *subite* (une chute subite). Notez que le participe passé de *subir* est *subi* ou *subie* (on a subi un changement, l'épreuve que l'on a subie).

8. aux dépens des autres

➤ Dans *aux dépens de*, le mot *dépens* est un nom masc. plur. qui provient du mot *dépense* et qui se termine par -*ens* (vivre aux dépens des autres, apprendre à ses dépens) ; dans *son avenir en dépend*, le mot *dépend* se termine par -*end*, car il s'agit du verbe *dépendre* à la 3e pers. sing. de l'indicatif présent. Notez que le nom *avenir* s'écrit en un mot, alors que l'expression *à venir*, que l'on peut remplacer par « qui va venir », s'écrit en deux mots (la liberté à venir = la liberté qui va venir).

9. vous avez mal entendu ; mais un différend

➤ L'expression *mal entendu*, est formée de l'adverbe *mal*, que l'on peut remplacer par son contraire « bien », et du verbe *entendu* (vous avez mal entendu / vous avez bien entendu) ; le nom *malentendu* signifie « méprise ». Le nom *différend*, qui signifie « désaccord », se termine par -*d*, alors que l'adjectif *différent* se termine par -*t* au masc. sing. et par -*te* au fém. sing. (un différend / ce qui est différent, une chose différente).

10. B

➤ L'expression *à faire* est formée de la préposition *à* et du verbe *faire*, que l'on peut remplacer le plus souvent par « accomplir » (J'ai fort à faire = J'ai fort à accomplir) ; dans les autres cas, le mot *affaire* s'écrit en un mot (j'aurais affaire à lui, avoir affaire en ville). Les homonymes *à faire* et *affaire* sont souvent précédés du verbe *avoir* (avoir à faire / avoir affaire).

11. soit parti si tôt

➤ On écrit *si tôt* et *aussi tôt* en deux mots lorsque le contexte permet de remplacer *tôt* par son contraire, « tard » (soit parti si tôt ou aussi tôt / soit parti si tard ou aussi tard) ; sinon, on écrit *sitôt* et *aussitôt* en un mot (il est parti aussitôt, on ne le reverra pas de sitôt).

12. un siècle plus tôt

➤ On écrit *plus tôt* et *bien tôt* en deux mots lorsque le contexte permet de remplacer *tôt* par son contraire, « tard » (un siècle plus tôt, il est parti bien tôt / un siècle plus tard, il est parti bien tard) ; sinon, on écrit *plutôt* et *bientôt* en un mot (plutôt ému, sera bientôt consacrée, à bientôt).

13. A

➤ La locution adverbiale *à verse* signifie « abondamment » (Il pleuvait à verse) ; le nom *averse* désigne une précipitation abondante (une averse de pluie ou de neige). Le nom *dessein* s'emploie dans le mot composé *sans-dessein*, québécisme qui signifie « idiot » (Quel sans-dessein !) ; il s'emploie aussi dans le sens de « intention » (tel est son dessein) ou dans *à dessein*, qui signifie « intentionnellement » (il a fait cela à dessein). Le nom *dessin* désigne une ilustration (un beau dessin, un livre « sans dessin » ou « sans dessins » !).

14. par ce que les gens disent

➤ L'expression *par ce que* s'écrit en trois mots lorsqu'elle signifie « par les choses que » (par ce que les gens disent = par les choses que les gens disent) ; l'expression *parce que* s'écrit en deux mots lorsqu'elle signifie « puisque » (parce que maintenant je sais = puisque maintenant je sais).

15. tu as dit quelques fois ; d'autres fois, tu as dit

➤ Lorsque *quelques fois* et *autres fois* désignent un nombre indéterminé d'occasions, ils s'écrivent en deux mots (tu as dit quelques fois = tu as dit à quelques occasions ; d'autres fois, tu as dit = en d'autres occasions, tu as dit). Lorsque *quelquefois* signifie « parfois », il s'écrit en un mot (il m'arrive quelquefois de croire = il m'arrive parfois de croire) ; lorsque *autrefois* signifie « jadis », il s'écrit en un mot (autrefois, je n'y croyais pas = jadis, je n'y croyais pas).

16. C

➤ Habituellement, *pourquoi* est un mot interrogatif et il s'écrit en un mot (ne savent pas pourquoi ils ont eu congé ; Pourquoi ont-ils eu congé ?). Dans l'expression *ce pour quoi*, qui signifie « cela pour lequel, le motif pour lequel », on écrit toujours *pour quoi* en deux mots (ont oublié ce pour quoi ils ont eu congé = ont oublié le motif pour lequel ils ont eu congé) ; dans cette expression, le mot *quoi* est un pronom prelatif ayant pour antécédent le pronom *ce*.

17. Quoi qu'il en soit

➤ Lorsque *quoi que* signifie « peu importe ce que », il s'écrit en deux mots (Quoi qu'il en soit = Peu importe ce qu'il en est ; Quoi qu'on dise = Peu importe ce qu'on dit). Lorsque *quoique* signifie « bien que », il s'écrit en un mot (Quoique cela comporte = Bien que cela comporte ; un animal obéissant, quoique stupide = un animal obéissant, bien que stupide).

18. Quelle que soit la nourriture

➤ Devant le subjonctif *soit* et un nom, *quel que* s'écrit en deux mots ; *quel* est adjectif attribut du nom et variable (Quelle que soit la nourriture ; quels que soient les aliments). Devant un adjectif, *quelque*, en un mot, est adverbe, invariable et signifie « si » (Quelque bien nourris que soient = Si bien nourris que soient) ; devant un nom, *quelque*, en un mot, est adjectif et variable (quelques aliments qu'ils mangent) ; devant un nombre, *quelque*, en un mot, est adverbe, invariable et signifie « environ » (quelque cent criminels = environ cent criminels).

19. A

➤ Dans *l'histoire telle qu'elle s'est déroulée*, l'expression *telle qu'elle* est formée de l'adjectif *telle*, de la conjonction *qu'*, mise pour *que*, et du pronom *elle* ; les mots *telle* et *elle* sont au fém. sing. parce qu'ils se rapportent au nom *histoire* ; au masc. sing., on écrit *tel* et *il* (le récit tel qu'il s'est déroulé). Dans *l'histoire telle quelle*, les mots *telle quelle* sont deux adjectifs fém. sing. ; au masc. sing., on écrit *tel quel* (le récit tel quel).

20. un tant soit peu ; Quant à moi

➤ Dans *un tant soit peu*, les mots *tant* et *peu* sont deux adverbes qui se joignent au verbe *être* pour former une locution adverbiale de quantité. Dans *Quant à moi*, les mots *Quant à* forment une locution prépositive signifiant « pour ce qui est de » (Quant à moi = Pour ce qui est de moi) ; dans *Tant qu'à se tuer*, les mots *Tant qu'à* forment une locution conjonctive signifiant « s'il faut » (Tant qu'à se tuer = S'il faut se tuer).

21. peut être désavantagé ; Cela va de soi

➤ L'expression *peut être*, sans trait d'union, est formée du verbe *peut*, que l'on peut remplacer par «pouvait», et de son complément, le verbe *être* (peut être désavantagé = pouvait être désavantagé) ; la locution adverbiale *peut-être*, avec trait d'union, signifie «sans doute» (est peut-être avantagé = est sans doute avantagé). Dans *Cela va de soi*, le mot *soi* est un pronom personnel signifiant «soi-même» (Cela va de soi = Cela va de soi-même) ; dans *qu'il soit gaucher ou droitier*, le mot *soit* est le subjonctif présent du verbe *être*.

22. sens dessus dessous

➤ Dans les expressions *sens dessus dessous* et *sens devant derrière*, où l'on désigne des positions inversées, le mot *sens* est un nom. Dans *sans bon sens* et *il va sans dire*, le mot *sans* est une préposition qui indique un manque, une absence ; l'expression *sans bon sens* signifie «sans aucun bon sens», c'est-à-dire «sans commune mesure, ou très fort».

23. qui ont crû dans mon potager ; de mon cru

➤ Le participe passé de *croître* prend un accent circonflexe sur le *u* au masc. sing. seulement (les légumes qui ont crû, un ruisseau crû / une rivière crue). Aucun des homonymes de ce mot ne prend d'accent circonflexe sur le *u* : le participe passé de *croire* (J'ai toujours cru), l'adjectif *cru* (les légumes crus, un langage cru), le nom *cru* dans l'expression *de mon cru* ou dans la désignation d'un vin (un grand cru)

et le nom *crue* désignant une élévation du niveau de l'eau (la crue des eaux, les crues du printemps).

24. payé leur dû ; une chose due

➤ Le nom *dû*, qui désigne un bien, une somme d'argent, prend un accent circonflexe sur le *u* (payer leur dû, réclamer son dû). Le participe passé fém. sing. de *devoir*, *due*, ne prend pas d'accent circonflexe sur le *u* (une chose due) ; seul le participe passé masc. sing., *dû*, en prend un, ce qui permet de le distinguer de l'article *du* (Les syndiqués ont dû se serrer / la présidente du Syndicat du vêtement). L'adjectif *indu* ne prend pas d'accent circonflexe sur le *u* (un retard indu, une heure indue).

25. N'eût été

➤ Dans l'expression figée *n'eût été*, composée du subjonctif plus-que-parfait du verbe *être* à la forme négative et qui signifie «s'il n'y avait pas eu», l'auxiliaire *eût* prend un accent circonflexe sur le *u* (N'eût été ses fanfaronnades = S'il n'y avait pas eu ses fanfaronnades). Dans *le lièvre eût gagné*, l'auxiliaire *eût* prend un accent circonflexe, car le verbe *gagner* est au conditionnel passé, 2e forme ; *eût* peut être remplacé par *aurait* (eût gagné = aurait gagné). Dans *après qu'elle eut remporté la victoire*, l'auxiliaire *eut* ne prend pas d'accent circonflexe, car le verbe *remporter* est à l'indicatif passé antérieur.

26. fut un grand ambassadeur ; s'il en fut ; fût-il le plus grand

➤ Dans *Félix Leclerc fut un grand ambassadeur* et dans *s'il en fut*, le mot *fut* ne prend pas d'accent circonflexe sur le *u*, car il s'agit du verbe *être* à la 3ᵉ pers. sing. du passé simple ; à l'imparfait, on écrirait *était* à la place de *fut* (Félix Leclerc était ; s'il en était). Dans *fût-il le plus grand*, le mot *fût* prend un accent circonflexe, car il s'agit du verbe *être* au conditionnel passé, 2ᵉ forme ; au conditionnel présent, on écrirait *serait* à la place de *fût* (serait-il le plus grand).

27. B

➤ Le nom *mue* désigne la dépouille d'un animal qui a mué et il ne prend pas d'accent circonflexe sur le *u* (une mue de couleuvre). Le participe passé *mû*, du verbe *mouvoir*, prend un accent circonflexe seulement au masc. sing. (Mû par la curiosité, il l'a mise ; une fille mue par la curiosité ; des enfants mus par la curiosité ; des filles mues par la curiosité).

28. j'ai vu tout à coup ; un martin-pêcheur plonger

➤ L'expression *tout à coup* signifie « soudainement », alors que l'expression *tout d'un coup* signifie « en un seul coup » (j'ai vu tout à coup, ou soudainement / avaler un poisson tout d'un coup, ou en un seul coup). Le verbe *plonger* se termine par *-er* à l'infinitif présent et on peut le remplacer par un verbe en *-re* (j'ai vu un martin-pêcheur plonger, ou prendre) ; son participe passé fém. sing. est *plongée* (je pêchais, plongée dans mes pensées) ; le nom *plongée*, fém. sing., est normalement précédé d'un déterminant (sa plongée, de la plongée).

29. C

➤ Le nom *entretien* se termine par *-en* et il est normalement précédé d'un déterminant (un entretien, mon entretien, cet entretien) ; le verbe *entretient* se termine par *-ent* à la 3ᵉ pers. sing. de l'indicatif présent (il entretient une relation, on s'entretient). De même, le nom *appui*, normalement précédé d'un déterminant, se termine par *-ui* (un appui, mon appui, cet appui), alors que le verbe *appuie* se termine par *-uie* à la 3ᵉ pers. sing. de l'indicatif présent (La France appuie, on appuie).

30. qui êtes près de me quitter

➤ La locution prépositive *près de* signifie « sur le point de » lorsqu'elle indique le temps (qui êtes près de me quitter = qui êtes sur le point de me quitter) ; elle signifie « proche de » lorsqu'elle indique le lieu (Près de la fontaine = Proche de la fontaine) ; le mot *près* sert aussi à former des locutions adverbiales de lieu (jouaient tout près) et de quantité (près de deux jours, à peu près). Dans l'expression *prêts à*, l'adjectif *prêts* est au masc. plur. ; il s'écrit *prêtes* au fém. plur. (Vous n'êtes pas prêts à voler / des bêtes prêtes à voler).

31. B

➤ Le nom *volatile*, qui désigne un oiseau, se termine par *-ile*, alors que l'adjectif *volatil*, qui désigne ce qui passe à l'état de vapeur, se termine par *-il* au masc. sing. et par *-ile* au fém. sing. (un volatile / un produit volatil, une substance volatile. Le verbe *bayer*, sans accent circonflexe, s'emploie seulement dans l'expression *bayer aux corneilles*, qui signifie « s'ennuyer », alors que le verbe *bâiller*, avec accent circonflexe, désigne l'ouverture involontaire de la bouche (un épouvantail qui bayait aux corneilles / il bâillait d'ennui).

32. a l'heur de lui plaire

➤ Dans l'expression *avoir l'heur de*, le nom *heur* signifie « chance » (a l'heur de lui plaire = a la chance de lui plaire) ; ce nom a donné naissance à l'adjectif *heureux*. Notez que l'on écrit *sensé* lorsque cet adjectif signifie « raisonnable » et *censé* lorsque cet adjectif signifie « supposé » (un aviculteur sensé, ou raisonnable / il est censé, ou supposé, partir).

33. C

➤ L'adjectif *sceptique* signifie « incrédule », alors que l'adjectif *septique* désigne ce qui est putréfié ou contaminé (son jeune auditoire sceptique, ou incrédule / une fosse septique, une fièvre septique). Le nom *lice* s'emploie surtout dans l'expression *en lice*, qui signifie « en compétition » (aux autres candidats en lice, ou en compétition).

34. A

➤ Le nom *serein* désigne la fraîcheur ou l'humidité qui tombe le soir, par temps calme (Dès que le serein est tombé) ; il vient de l'adjectif *serein*, qui signifie « pur et calme » (l'esprit serein) ; le nom *serin* désigne un oiseau (un serin glouton). Le nom *balade* désigne une promenade, alors que le nom *ballade* désigne une chanson, un poème (faire une balade, ou une promenade / il chantait la « Ballade des gens heureux »).

35. dans mon for intérieur ; le bât blesse

➤ Le nom *for* s'emploie uniquement dans l'expression *for intérieur*, qui signifie « au fond de soi-même » (dans mon for intérieur = au fond de moi-même). Le nom *bât* désigne un dispositif placé sur le dos des bêtes de somme ; l'expression *C'est là que le bât blesse* signifie « C'est là le point sensible ». Notez l'orthographe de l'interjection *bah !* (Bah ! ne vous en faites pas !) et du nom *bas* dans l'expression *ses hauts et ses bas*.

36. D

➤ Le nom *erre* vient du verbe *errer*, dont le sens premier était « voyager » ; l'expression *erre d'aller* signifie « sur son mouvement, sur sa lancée ». Évitez surtout de confondre le nom *erre* dans *erre d'aller* et le nom *air* dans *avoir l'air d'aller*, où *avoir l'air* signifie « sembler » (Elle glisse sur son erre d'aller, ou sur sa lancée / Elle a l'air d'aller bien, ou semble aller bien).

37. C

➤ Le verbe *teinter* signifie « couvrir d'une teinte légère », alors que le verbe *tinter* signifie « sonner » (Je ne veux pas faire teinter mes verres de contact / J'ai fait tinter les verres par accident). L'adjectif *pers* désigne une couleur changeante des yeux, entre le bleu et le vert (j'ai les yeux pers) ; le féminin *perse* est rare. Les homonymes *pair*, *paire* ou *père* ont, bien entendu, des sens tout à fait différents.

38. un fonds particulier ; étudier à fond le fond marin

➤ Le nom *fonds* désigne un ensemble de ressources matérielles ou pécuniaires (un fonds particulier, un fonds monétaire, une mise de fonds) ; il désigne aussi un organisme qui gère des ressources (le Fonds monétaire international, le

Fonds de solidarité de la FTQ). Le mot *fond* désigne ce qui est en profondeur (étudier à fond le fond marin, ou étudier en profondeur la couche profonde de la mer).

39. des appas irrésistibles

➤ Le nom *appas* s'emploie seulement au pluriel pour désigner les « charmes féminins » (Tu as des appas irrésistibles) ; le nom *appât* s'emploie au singulier ou au pluriel pour désigner une « pâture » ou « ce qui attire » (mes appâts de pêche, mettre l'appât à l'hameçon, l'appât du gain).

40. un dur à cuire ; mis au ban

➤ Le nom composé *dur à cuire* désigne au figuré une personne résistante, une « forte tête » (comme un dur à cuire, ou une forte tête). Dans *mis au ban de la société*, le nom *ban*, qui a donné naissance à *bannir*, signifie « à l'écart » (mis au ban, ou à l'écart, de la société). Notez que l'on écrit *on dit* lorsqu'il s'agit du pronom sujet *on* et du verbe *dit*, et *on-dit* lorsqu'il s'agit du nom composé signifiant « racontar » (On dit qu'autrefois / je me méfie des on-dit, ou des racontars).

AUTOÉVALUATION

1. B

2. Par acquit de conscience

3. A et C

4. l'on a affaire ; une semaine plus tôt

5. C

6. par ce que j'ai lu

7. A

8. B

9. Quant à moi

10. C

AUTORELAXATION

Le « désespéranto » de M. Perfecto

Mes coquilles

Il était une fois un typographe qui avait décidé d'écrire un recueil de textes plutôt cocasses, dans lequel se trouveraient les milliers de coquilles qu'il avait amassées durant sa belle carrière.

Lorsque l'auteur eut terminé son ouvrage, il le présenta à son éditeur en disant : « Voici *Mes coquilles*. Ce livre est rempli de fautes, sauf le titre qui est sans fautes. Il est le fruit de mon expérience. Ce sera le best-seller de l'année, à coup sûr. »

Son éditeur rigola, puis dit : « Tout sera vérifié par nos experts dans les plus brefs délais. J'enverrai ensuite votre chef-d'œuvre à l'imprimerie. Signez ici. »

Un mois plus tard, le typographe reçut son livre à la maison. Hélas ! son éditeur avait laissé une coquille dans le titre du livre : la lettre *q* avait disparu !

AUTOCORRECTION

1. À ce moment-ci

➤ L'adverbe *ci*, abréviation de *ici*, se joint par un trait d'union à un nom précédé d'un déterminant démonstratif (À ce moment-ci, cette fois-ci, ces jours-ci); l'adverbe *ici* complète habituellement le sens d'un verbe et il ne prend pas de trait d'union (Viens ici; Passez par ici).

2. Que cela soit bien compris; Cela étant dit

➤ Les mots *cela* et *voilà* désignent ce qui est éloigné ou ce qui précède (Que cela soit bien compris; Cela étant dit; cela ne signifie pas; Voilà l'essentiel de ma pensée). Les mots *ceci* et *voici* désignent ce qui est rapproché ou ce qui va suivre (Voici mon opinion...: je suis contre; Faites ceci en mémoire de moi, a dit Jésus-Christ).

3. extrêmement contente, ou très contente

➤ L'adverbe *extrêmement* signifie «d'une manière extrême, très» et s'emploie avec un adjectif de sens favorable ou défavorable (La madame était extrêmement contente, ou très contente; Elle était extrêmement déçue, ou très déçue); l'adverbe *excessivement* signifie «à l'excès, trop» et s'emploie seulement avec un adjectif de sens défavorable (Cette robe est excessivement chère, ou trop chère). Notez que l'expression *la madame* appartient au langage familier; en langage soutenu, on dit *la dame*.

4. C (si elle pouvait)

➤ La conjonction *si*, signifiant «à condition que», est suivie d'un verbe à l'indicatif imparfait lorsque le verbe de la principale est au conditionnel présent (Elle irait voir ses amis si elle pouvait). Dans une interrogative indirecte, la conjonction *si* peut être suivie d'un verbe au conditionnel présent lorsque l'action exprime un fait réalisable dans le futur (Carole demandé si elle pourrait... l'an prochain; Elle se demandait si elle pourrait, à cette occasion).

5. quel est ton poste préféré; ce que tu as gagné

➤ Les expressions *quel est, ce que* ou *ce qui* annoncent une interrogative indirecte (dis-moi quel est ton poste préféré; je te dirai ce que tu as gagné; dis-moi ce qui te plaît); les expressions *quel est?, qu'est-ce que?* ou *qu'est-ce qui?* annoncent une interrogative directe (Quel est ton poste préféré? Qu'est-ce que tu as gagné? Qu'est-ce qui te plaît?). Notez que l'emploi de *c'est quoi?* dans une interrogative directe appartient au langage familier (C'est quoi, ton poste préféré?).

6. C

➤ Les mots *chaque* et *n'importe quel* sont des déterminants indéfinis et ils s'emploient devant un nom (chaque soulier, chaque cliente; n'importe quel magasin, n'importe quelle cliente). Les mots *chacun* et *n'importe lequel* sont des pronoms indéfinis; ils peuvent être employés isolément (des souliers... cinq dollars chacun, chacun coûte cinq dollars; dans un magasin... dans n'importe lequel); ils peuvent aussi être suivis d'un complément (chacun des souliers, n'importe lequel des magasins).

7. a toujours été meilleur ; va de mal en pis

➤ Le comparatif de supériorité de l'adjectif *bon* est meilleur et non *plus bon* (mon fils a toujours été meilleur en mathématique qu'en français) ; cependant, *plus bon* s'emploie lorsqu'on compare deux adjectifs (Il est plus bon que sage). Le comparatif de supériorité de l'adverbe *mal* est *pis*, qui s'emploie dans certaines expressions comme *aller de mal en pis, de pis en pis, au pis aller* et *tant pis* ; autrement, on emploie *plus mal* (Tu es plus mal vêtu que lui ; Ça va plus mal qu'hier ; Ça va de plus en plus mal).

8. Tu n'es pas sans savoir ; ni chair ni poisson

➤ L'expression *ne pas être sans savoir* signifie « ne pas ignorer » (Tu n'es pas sans savoir, ou tu n'ignores pas) ; les mots *ne pas sans ignorer*, qui forment une double négation, sont un non-sens. On doit écrire *ni chair ni poisson* et *non mi-chair, mi-poisson* ; cette expression désigne ce qui est sans consistance, sans intérêt (Je déteste les poèmes ni chair ni poisson, ou sans consistance).

9. B (la façon dont Lara s'habille)

➤ Dans la phrase *D'autres critiques n'aiment pas la façon dont Lara s'habille*, le pronom relatif *dont* remplace la préposition *de* et son antécédent *façon* ; il est complément circonstanciel du verbe *s'habille* (dont Lara s'habille = Lara s'habille comment? *dont*, mis pour *de la façon*). Notez que, dans la phrase C, l'expression *c'est... que* met en évidence le complément indirect *de la mauvaise foi* ; on ne peut employer *dont* à la place

de *que*, car le verbe *se plaint* a déjà un complément indirect (Lara se plaint de quoi? *de la mauvaise foi*).

10. C

➤ L'adverbe *combien* sert à exprimer l'intensité ; on peut le remplacer par « à quel point » (combien il est intéressant, ou à quel point il est intéressant) ; l'adverbe *comment* exprime la manière (Comment vas-tu? Dis-moi comment tu vas). Le verbe *se fier* doit être suivi de la préposition *à* (Fie-toi à moi). Notez que *se fier à* a pour synonyme *compter sur* (Fie-toi à moi, ou Compte sur moi).

11. j'aurais besoin ; à la porte d'autres vieux

➤ On doit écrire *avoir besoin* et non *avoir de besoin* ; cette expression se construit normalement avec la préposition *de*, qui introduit un complément indirect (j'aurais besoin de tes vieux vêtements ; De quoi as-tu besoin?) ; dans *en avoir besoin*, le complément indirect *en* s'exprime sans préposition (Ces vêtements, j'en ai besoin). On doit écrire *d'autres* et non *de d'autres*, qui est un pléonasme ; le mot *d'* remplit déjà le rôle de préposition devant le pronom *autres* (à la porte d'autres vieux ; discuter d'autres sujets).

12. A

➤ Le verbe *enjoindre* est transitif indirect, c'est-à-dire qu'il ne peut avoir que des compléments indirects ; il se construit avec les prépositions *à* et *de* : on enjoint à quelqu'un *de* faire quelque chose (Le gouvernement enjoint aux jeunes diplômés de créer leur propre emploi ; On enjoint à cet étudiant de consulter un orienteur). Le pronom personnel complément indirect qui précède *enjoindre* sera donc *lui* ou *leur* (Le gouvernement leur enjoint de créer leur propre emploi ; On lui enjoint de consulter un orienteur).

13. soixante-deux pour cent ; auraient échoué à leur examen

➤ Dans les nombres de *soixante et un* à *soixante-dix-neuf*, seuls *soixante et un* et *soixante et onze* s'écrivent avec la conjonction *et* ; les autres nombres s'écrivent avec un trait d'union (soixante-deux, soixante-trois... soixante-douze, soixante-treize...). Le verbe *échouer*, dans le sens de « ne pas réussir », est transitif indirect et il se construit avec la préposition *à* (auraient échoué à leur examen) ; notez que *réussir* s'emploie dans un sens transitif direct ou indirect, avec ou sans la préposition *à* (réussir à un examen, ou réussir un examen).

14. B

➤ Pour désigner un niveau inférieur à zéro, on utilise la locution prépositive *au-dessous de* (il fera quarante au-dessous de zéro ; le thermomètre est descendu au-dessous de zéro) ; pour désigner un niveau supérieur à zéro, on utilise la locution prépositive *au-dessus de* (il fera deux degrés au-dessus de zéro ; le thermomètre est monté au-dessus de zéro).

Si on utilise les adverbes *moins* ou *plus*, on peut dire *moins quarante degrés Celsius* (-40 ºC), *plus deux degrés Celsius* (+2 ºC), ou, en abrégé, *moins quarante*, *plus deux* et même *deux* (plus le chiffre est elevé, moins il est utile de préciser).

15. B

➤ On doit écrire *à reculons* et non *de reculons* ; cette expression signifie « en reculant » ou, au figuré, « à contrecœur » (ma fille va à l'école à reculons, ou à contrecœur). On doit écrire *à bicyclette* et non *en bicyclette* ; la préposition *à* s'emploie dans le sens de « au moyen de » (elle s'y rend à pied ; aller à motocyclette ; se promener à vélo) ; notez que l'expression *en vélo* est acceptée ; la préposition *en* s'emploie dans le sens de « dans, à l'intérieur de » (aller en auto ; voyager en train ; se balader en voiture).

16. C

➤ On emploie la conjonction *ou* pour relier deux nombres entre lesquels il ne peut y avoir de quantité intermédiaire : *il attend quinze ou seize personnes* (il ne peut attendre quinze personnes et quart ou quinze personnes et demie !) ; s'il peut y avoir une quantité intermédiaire, on relie les deux nombres en employant l'expression *de... à* ou *entre... et* : *la dinde pèse de quinze à seize kilogrammes* ou *elle pèse entre quinze et seize kilogrammes* (elle peut peser un certain nombre de grammes de plus que quinze kilogrammes).

17. A

➤ L'expression *quelque part* signifie « en quelque lieu » et ne doit pas être précédée de la préposition *en* (tu vas quelque part ; je l'ai déjà vu quelque part). On désigne les périodes du matin et du soir en utilisant le démonstratif *ce* (tu vas quelque part ce soir ; il fait beau ce matin) ; devant *midi* et *minuit*, on utilise la préposition *à* (manger à midi ; se coucher à minuit). Notez que la préposition *à* s'emploie devant *ce soir* pour exprimer une salutation (Allez, à ce soir !).

18. Je commence toujours ma journée ; quand mon cœur bat fort

► Le verbe *débuter* est un verbe intransitif, il ne peut avoir de complément direct ou indirect ; on doit plutôt utiliser le synonyme *commencer*, qui est un verbe transitif (Je commence toujours ma journée). On doit dire *mon cœur bat fort* et non *le cœur me débat* ; le verbe *débattre* signifie « discuter, négocier » (débattre une question) et le verbe *se débattre* signifie « lutter fort » (Il se débat comme un diable dans l'eau bénite).

19. j'ai vendu un pantalon bleu marine

► Le nom *pantalon* s'emploie au singulier lorsqu'il désigne un seul vêtement ; il ne peut être accompagné du nom *paire*, qui désigne deux choses (j'ai vendu un pantalon, je porte un pantalon / une autre paire de manches, une paire de lunettes). On emploie l'expression *bleu marine* et non *bleu marin* pour désigner la couleur caractéristique des vêtements de la marine (un pantalon bleu marine, des vêtements bleu marine).

20. Je n'ai pas ri du tout de sa blague ; féru d'humour

► Le verbe *rire* est transitif indirect et il se construit avec la préposition *de* : on ne rit pas « quelque chose », on rit « de quelque chose » (Je n'ai pas ri du tout de sa blague) ; *rire* s'emploie aussi intransitivement, sans complément direct ou indirect (Je n'ai pas ri du tout). L'adjectif *féru*, qui signifie « passionné, mordu », doit être suivi de la préposi-

tion *de* et non de la préposition *en* (féru d'humour, féru de cinéma).

21. Pour donner suite à notre conversation ; je vous saurais gré

► L'expression *suite à* est fautive ; selon le contexte, on doit plutôt écrire *pour donner suite à* (Pour donner suite à notre conversation), *à la suite de* (Il a changé d'opinion à la suite de cette discussion) ou *à cause de* (Il est cloué au lit à cause d'un accident). Dans l'expression *je vous saurais gré*, le mot *saurais* est le conditionnel présent du verbe *savoir* et non celui du verbe *être* (serais) ; notez que *je vous saurais gré* (savoir gré) signifie « je vous serais reconnaissant » (être reconnaissant).

22. B

► Le verbe *pallier* est transitif direct ; on doit écrire *pallier un problème* et non *pallier à un problème* ; notez que *pallier* signifie « corriger de façon provisoire », alors que *remédier à* signifie « corriger de façon définitive ». Le verbe *aider* est un verbe transitif direct et indirect : on aide « quelqu'un à faire quelque chose » ; le pronom COD doit être *l'* (ça l'aide à dormir) ; au pluriel, *l'* devient *les* (ça les aide à dormir).

23. à écouter les élèves et à leur parler

► Le verbe *écouter* est transitif direct (on écoute « quelqu'un » ou « quelque chose »), alors que le verbe *parler* est transitif indirect (on parle « à quelqu'un ») ; comme ces deux verbes ont le nom *élèves* comme complément, on devrait écrire : *c'est apprendre à écouter les élèves et à parler aux élèves* ; pour éviter la répétition du nom *élèves*, on le remplace par le pronom *leur* et on obtient : *c'est apprendre à écouter les élèves et à leur parler.*

24. Celui-ci était brûlé, ou Le poisson était brûlé

➤ Normalement, le pronom sujet *il* remplace un autre mot sujet : *Martin a fait cuire un saumon. Il s'est brûlé* (Il = Martin). Dans *Martin a fait cuire un saumon. Il était brûlé*, le pronom *Il* ne désigne pas le sujet *Martin*, mais le complément *saumon* ; on doit donc utiliser un autre pronom ou une autre expression pour désigner *saumon* : *Celui-ci était brûlé* ou *Le poisson était brûlé*. Le pronom *il* peut remplacer un mot qui n'est pas sujet s'il n'y a aucun risque d'ambiguïté : *Martin a fait cuire une truite. Elle était brûlée* (Elle = truite).

25. de nous laver ; de nous y baigner ; on pourra se laver ; ne pas trop se mouiller

➤ Le verbe pronominal s'accompagne du pronom *nous* si l'action qu'il désigne est accomplie par un autre pronom de la 1re pers. du plur. identifiable dans la phrase : *Le gouvernement nous permet de nous laver* (c'est nous qui nous lavons) ; *il nous interdit de nous y baigner* (c'est nous qui nous y baignons). Le verbe pronominal s'accompagne du pronom *se* si l'action qu'il désigne est accomplie par un pronom de la 3e pers. : *on poura se laver à condition de ne pas trop se mouiller* (c'est *on* qui se lave et qui se mouille).

26. pareils à ceux de mes parents, ou comme ceux de mes parents ; exprès de les contredire

➤ L'expression *pareil comme* est un pléonasme, car elle contient deux mots de comparaison ; on doit dire *pareil à* ou *semblable à* (des goûts pareils aux tiens, ou des goûts semblables aux tiens). L'expression *faire exprès* doit être suivie de la préposition *de* et non de la préposition *pour* (je ne fais jamais exprès de les contredire ; ne fais pas exprès de me provoquer).

27. Si tu fais un pas de plus ; J'avais ajouté : "Il y a un précipice."

➤ L'expression *faire un pas en avant* est un pléonasme ; on doit dire *faire un pas de plus* ou *avancer d'un pas* (Si tu fais un pas de plus, ou Si tu avances d'un pas). L'expression *ajouter en plus* est elle aussi un pléonasme ; les mots *en plus* sont inutiles (J'avais ajouté : "Il y a un précipice.").

28. à prédire tous les événements ; comme l'année de votre mariage, ou par exemple l'année de votre mariage

➤ L'expression *prédire à l'avance* est un pléonasme, car *prédire* signifie « dire d'avance » ; (on vous apprend à prédire tous les événements). L'expression *comme par exemple* est un pléonasme ; pour annoncer une comparaison, on doit utiliser *comme* ou *par exemple* (comme l'année de votre mariage, ou par exemple l'année de votre mariage).

29. Je ne me lève jamais quand je suis ; éjecté de l'appareil

➤ L'expression *se lever debout* est un pléonasme ; quand on se lève, on est debout (Je ne me lève jamais quand je suis dans un avion). L'expression *éjecté hors de* est aussi un pléonasme ; le verbe *éjecter* signifie « jeter au-dehors » (J'ai trop peur d'être éjecté de l'appareil).

30. C (que la vie a de bons côtés)

► L'indicatif exprime un fait considéré comme certain (L'optimiste est certain que la vie *a* de bons côtés). Le subjonctif exprime un fait incertain; il s'emploie après un verbe ou une expression de doute (Le pessimiste doute que la vie *ait* de bons côtés), de crainte (Je crains que la vie n'*ait* que de mauvais côtés) de sentiment (Je me réjouis que la vie n'*ait* pas que de mauvais côtés) ou d'ordre (Il faut que la vie *ait* de bons côtés). Notez que la conjonction *que* est celle qui normalement introduit le verbe au subjonctif.

31. Après qu'il eut enlevé ; je vous paierai pour votre travail

► La locution *après que* introduit un verbe à l'indicatif, alors que la locution *avant que* introduit un verbe au subjonctif: *Après qu'il eut enlevé son chapeau* (indic. passé antérieur) / *avant qu'il ne soit trop tard* (subj. présent). L'expression *payer pour* doit être suivie d'un complément; une préposition ne peut être employée seule : *je vous paierai pour votre travail*, ou *pour cela*; notez que l'expression *être pour* ou *être contre* est acceptée, car le complément y est sous-entendu : *Es-tu pour la paix ? Oui, je suis pour* (sous-ent.: *la paix*).

32. Ça a l'air ; ça n'a aucun rapport

► On doit écrire *Ça a l'air* et non *Ça l'a l'air*, car le pronom personnel *l'* ne remplace aucun mot dans la phrase ; ce pronom ne peut s'employer que s'il remplace un autre mot dans la phrase : *Alain dit que ça l'intéresse* (l' = Alain) ; *Annie dit que ça l'a intéressée* (l' = Annie) ; *mon auto, je l'ai gagnée* (l' = auto). On doit écrire *Ça n'a aucun rapport* et non *Ça l'a aucun rapport*; le pronom *aucun* exprime la négation et il doit s'accompagner de *ne* ou *n'*; le mot *l'* ne peut être utilisé, car il ne remplace aucun mot dans la phrase.

33. C (et on libère la place)

► On emploie souvent le *l'* euphonique devant le pronom *on* pour éviter la rencontre de deux voyelles : *Si l'on veut* au lieu de *Si on veut* (« i » devant « on ») ; *et l'on vous servira* au lieu de *et on vous servira* (« é » devant « on ») ; le *l'* permet aussi d'éviter le mot « qu'on », homonyme de « con » : *Qu'est-ce que l'on sert ?* au lieu de *Qu'est-ce qu'on vous sert ?* On évite d'utiliser le *l'* euphonique lorsque *on* est suivi de la lettre *l* ou lorsqu'il est au début d'une phrase : *et on libère* au lieu de *et l'on libère*; *On dit cela* au lieu de *L'on dit cela*.

34. aller en chercher ; la bière va être

► On doit écrire *aller en chercher* et non *aller n'en chercher*; la lettre *n'* s'emploie seulement avec *pas, point*, etc., dans une négation (si on n'en a pas). Le *t* euphonique s'emploie seulement entre le verbe se terminant par une voyelle et le pronom *il, elle, on*, dans une interrogation directe ou dans une incise (Que fera-t-on ?; Où va-t-il ?; affirme-t-elle) ; il ne s'emploie pas entre d'autres sortes de mots (la bière va être gratuite, ça va être possible), sauf dans l'expression *va-t-en guerre* (Malbrough s'en va-t-en guerre).

35. D (sans que Lionel ait pu)

➤ Le ne « explétif » s'emploie devant le verbe d'une subordonnée introduite par *avant que, à moins que, plus... que* ou *moins... que* (avant que la première neige ne tombe, à moins qu'un contretemps ne m'en empêche, la neige est tombée plus tôt qu'il ne l'avait prévu) ; on l'emploie aussi après un verbe de crainte (Il craint qu'il ne puisse installer son abri). Le *ne* explétif ne s'emploie pas après *sans que* (sans que Lionel ait pu installer l'abri). Lorsque *sans que* est suivi d'un mot de négation comme *personne, rien, jamais*, etc., l'adverbe de négation *ne* est normalement omis (sans que personne dise, sans que j'y puisse rien, etc.).

36. parle-m'en ; Ne t'en fais pas

➤ À la 2ᵉ pers. sing. de l'impératif présent, les pronoms *moi* et *toi* deviennent *m'* et *t'* devant *en* ; on doit écrire *parle-m'en, fais-m'en, rends-t'en compte* et non *parle-moi-s-en, fais-moi-s-en, rends-toi-s-en compte*. De même, à la forme négative, on doit écrire *Ne m'en parle pas, Ne t'en fais pas* et non *Parle-moi-s-en pas, Fais-toi-s-en pas*. À la 2ᵉ pers. sing. de l'impératif présent, le *s* euphonique se place à la fin d'un verbe en *-e* et il est séparé du pronom *en* par un trait d'union (Parles-en ; Cherches-en ; Cueilles-en).

37 1,4 enfant ; à ses quatre enfants

➤ Le nom précédé d'un nombre en chiffres inférieur à 2 est invariable (1,4 enfant ; 1,9 million / 2,1 millions). Les adjectifs numéraux cardinaux ne prennent pas la marque du pluriel (quatre enfants, cinq dollars, huit millions), à l'exception de *vingt* et *cent* qui obéissent à des règles particulières.

38. B et C

➤ Les nombres suivis d'une unité de mesure du système métrique s'écrivent en chiffres et en symboles ou en toutes lettres (2 cm, 2 m, ou deux centimètres, deux mètres). Les expressions du système métrique doivent s'écrire de façon uniforme, sans mélange des deux types d'écriture (deux centimètres, 2 cm, et non 2 centimètres, deux cm). Notez que les symboles métriques ne sont jamais suivis du point abréviatif (2 cm), qu'il ne faut pas confondre avec le point final (mon nez a poussé de 2 cm.).

39. B

➤ La plupart des noms commençant par la lettre *y* n'exigent pas d'élision (le yéti, le yacht, le yogourt) ; notez que le nom *yeti* peut aussi s'écrire avec un *e* accent aigu (yéti). Le nom *ouistiti* n'exige pas d'élision (a peur du ouistiti, le ouistiti, le cri du ouistiti). Les noms commençant par la lettre *o* permettent normalement l'élision (l'orang-outan) ; notez que l'élision devant *ouate* est facultative (de la ouate ou de l'ouate, un morceau de ouate ou d'ouate).

40. ce hululement ; un vieux hibou

➤ Devant le *h* aspiré de *hululement*, on doit utiliser le démonstratif *ce* et non *cet*, qui s'emploie devant un *h* muet (ce hululement / cet hiver) ; de même, on écrit *le hululement* et non *l'hululement*. Devant le *h* aspiré de *hibou*, on doit utiliser l'adjectif *vieux* et non *vieil*, qui s'emploie devant un *h* muet (un vieux hibou / un vieil habit) ; de même, on écrit *le hibou, ce hibou* et non *l'hibou, cet hibou*.

AUTOÉVALUATION

1. Cela étant dit ; je ne saurais m'opposer

2. C

3. A

4. combien j'ai payé ; deux dollars chacun

5. B

6. A

7. féru d'humour ; il commençait chacun de ses discours

8. B

9. A

10. ce handicap (*h* aspiré) ; au maximum de vos capacités (au grand maximum : pléonasme)

AUTORELAXATION

Le *Super* 7 d'Agathe Pica

1. *Erreur* : suite à un stage
Correction : à la suite d'un stage

2. *Erreur* : soixante et dix-sept jours
Corr. : soixante-dix-sept jours

3. *Erreur* : car, en effet (pléonasme)
Corr. : car (de préférence à *en effet*)

4. *Erreur* : de 21 h à 6 heures
Corr. : de 21 h à 6 h (uniformité d'écriture)

5. *Erreur* : d'harcèlement
Corr. : de harcèlement (*h* aspiré)

6. *Erreur* : Veillez
Corr. : Veuillez (verbe *vouloir*)

7. *Erreur* : ci-bas (n'existe pas)
Corr. : ci-dessous *ou* ci-après

AUTOCORRECTION

1. À ce stade-ci

➤ Le nom *stade* s'emploie pour désigner une étape d'un développement (À ce stade-ci de votre histoire, une entreprise à un stade artisanal); le nom *stage* s'emploie pour désigner la période de formation d'une personne (suivre un stage de formation en entreprise, participer à un stage en informatique).

2. du bran de scie ; une écharde à un doigt

➤ Le nom *bran* s'emploie surtout dans l'expression *bran de scie*, qui désigne de la sciure de bois (du bran de scie dans un œil); le nom *brin* désigne une quantité infime (un brin de paille, un brin de causette). Le nom *écharde* désigne un fragment d'un corps étranger qui pénètre sous la peau (une écharde à un doigt); le nom *écharpe* désigne un bandage (avoir un bras en écharpe) ou une bande de tissu, appelée aussi *foulard* au Québec (porter une écharpe de laine). Notez que le mot *échappe*, dans le sens de *écharde*, n'existe pas.

3. dans le couvercle

➤ Le nom *couvercle* désigne ce qui couvre un pot, une boîte, un plat, etc. (dans le couvercle de mon bocal, le couvercle d'une marmite); le nom *couvert* s'emploie pour désigner ce qui couvre la table pour un repas (mettre le couvert, une table pouvant contenir six couverts). Notez que le mot *luciole* est le terme exact pour désigner ce coléoptère; le mot *mouche à feu* est un anglicisme en ce sens (« fire fly »).

4. des cahiers à colorier ; mon habileté à communiquer

➤ Le verbe *colorier*, et non *couleurer* qui n'existe pas, signifie « appliquer des couleurs sur du papier » (des cahiers à colorier, colorier un dessin); le verbe *colorer* signifie « donner de la couleur à un objet », sans référence à un dessin (colorer un mur, se colorer le visage). Le nom *habileté* signifie « adresse, dextérité » (mon habileté à communiquer, avoir de l'habileté manuelle); le nom ou le participe passé *habilité* désigne la capacité juridique accordée à une personne (avoir l'habilité d'agir en son nom, être habilité à agir pour lui).

5. leurs empreintes génétiques

➤ Les *empreintes* sont les marques ou les traces laissées par un individu et qui lui sont propres (pour éviter de laisser leurs empreintes génétiques, prendre les empreintes digitales d'un suspect); le mot *empruntes* n'existe pas, et ne permettez à personne d'« emprunter » vos empreintes...

6. l'ulcère peptique ; les brûlures d'estomac

➤ L'adjectif *peptique*, du nom d'une enzyme appelée *pepsine*, désigne ce qui est relatif à l'estomac (qui combat efficacement l'ulcère peptique, avoir des troubles peptiques); le mot *pepsique* n'existe pas. On dit d'un médicament qu'il combat ou soulage les « *brûlures* d'estomac »; le mot *brûlements* n'existe pas.

7. en conjectures ; la conjoncture

➤ Le nom *conjecture* désigne une hypothèse, une opinion incertaine ; il s'emploie surtout dans les expressions *se perdre en conjectures* et *en être réduit aux conjectures* (On se perd souvent en conjectures, on en est réduit à quelques conjectures). Le nom *conjoncture* désigne une situation, un concours de circonstances (lorsque la conjoncture est favorable, la conjoncture politique ou économique).

8. y compris les écailles, les écales de l'arachide

➤ Les *écailles* désignent les plaques qui recouvrent en tout ou en partie le corps de certains animaux (tout le poisson, y compris les écailles ; des écailles de tortue, une écaille d'huître). Les *écales* désignent la membrane qui recouvre la coque d'une arachide, d'une noix, d'un œuf, etc. (en examinant les écales de l'arachide, l'écale d'un œuf).

9. tout ragaillardi ; aux bribes de phrases

➤ L'adjectif *ragaillardi*, et non *regaillardi*, de l'ancien verbe *agaillardir*, signifie « revigorer » (celui-ci a eu l'air tout ragaillardi). Le nom *bribes* s'emploie surtout au pluriel pour désigner une petite quantité (aux bribes de phrases que j'ai entendues, entendre des bribes de conversation, connaître des bribes d'anglais) ; le nom *bride* désigne la pièce de harnais fixée à la tête du cheval et il s'emploie souvent au figuré (tenir la bride, avoir la bride sur le cou).

10. C

➤ L'adjectif *dégingandé*, et non *déguingandé*, sert à qualifier une taille ou une démarche peu harmonieuse (Vous avez l'air tout dégingandé) ; dans *dégingandé*, la syllabe « gin » se prononce « jin » comme dans *gingembre*. Le participe passé *avachi*, du verbe *avachir*, signifie « mou, sans énergie » (avachi sur le canapé, être avachi sur un lit) ; les mots *évaché* et *évacher* n'existent pas.

11. bourrelé de remords

➤ Le participe passé *bourrelé* vient du verbe *bourreler*, dérivé de *bourreau*, et il signifie « torturé moralement » ; il ne s'emploie que dans l'expression *bourrelé de remords* (Ivan Pavlov, bourrelé de remords). L'adjectif ou le participe passé *bourré* signifie « plein de » (Mon chien est bourré de complexes, être bourré de préjugés, être bourré de bonnes intentions).

12. A

➤ Le nom *péage* désigne le droit que l'on paye pour emprunter une voie de communication (Le rétablissement des postes de péage, un pont à péage, une autoroute à péage) ; le mot *payage* n'existe pas. L'adjectif *pécuniaire* signifie « qui a rapport à l'argent » (des avantages pécuniaires indéniables, apporter une aide pécuniaire) ; le mot *pécunier* n'existe pas.

13. couverte de cloques

➤ Les *cloques* sont de petites poches pleines de sérosité à la surface de la peau (la peau toute couverte de cloques) ; l'emploi du mot *cloches* en ce sens est fautif. Notez que le nom *ampoule*, et non *ampouille*, est souvent utilisé pour désigner la ou les cloques aux doigts, aux mains et aux pieds.

14. J'ai rabattu le caquet ; de me rebattre les oreilles

➤ L'expression *rabattre* ou *rabaisser le caquet* signifie « clouer le bec à quelqu'un, le mettre à sa place » (J'ai rabattu le caquet à une journaliste). L'expression *rebattre les oreilles* signifie « répéter sans cesse » (qui ne cessait de me rebattre les oreilles). Notez que l'on « rabat le caquet *à* quelqu'un » et que l'on « rebat les oreilles *à* quelqu'un *de* quelque chose ».

15. une double infraction ; par effraction

➤ Le nom *infraction* désigne la violation d'une loi, d'un règlement ou d'un droit (a commis un double infraction, une infraction à un règlement de la circulation). Le nom *effraction* désigne le bris d'un objet — serrure, porte, fenêtre, etc. — dans le but de cambrioler (a pénétré par effraction, commettre un vol par effraction).

16. vous fîtes irruption ; d'un volcan en éruption

➤ Le nom *irruption* désigne une entrée brusque et inattendue (vous fîtes irruption dans ma vie, faire irruption dans un lieu). Le nom *éruption* désigne une sortie ou une apparition rapide (d'un volcan en éruption, une éruption cutanée).

17. dans un fossé ; tout bouleversé

➤ Le nom *fossé* prend un e accent aigu qui se prononce « é » (tomber dans un fossé) ; l'orthographe *fosset* ou la pro-

nonciation « fossè » sont fautives. Tous les mots de la famille de *bouleverser* ont un e muet à la 2e syllabe, que l'on doit noter à l'écrit (J'en suis encore tout bouleversé, c'est bouleversant, un véritable bouleversement).

18. était infesté de guêpes ; puisse s'infecter

➤ Le participe passé *infesté*, du verbe *infester*, signifie « envahir » (Le jardin était infesté de guêpes, un étang infesté de moustiques). Le verbe *s'infecter* est la forme pronominale du verbe *infecter,* qui signifie « contaminer » (que la piqûre puisse s'infecter, être infecté par un microbe).

19. résilier mon bail ; le caquet bas

➤ Le verbe *résilier* signifie « annuler » (J'ai dû résilier mon bail, résilier un contrat) ; le verbe *résigner* signifie « être obligé de se soumettre » (être résigné comme un mouton, il ne faut pas se résigner). L'expression *avoir le caquet bas* signifie « avoir la tête basse, avoir l'air abattu » (j'avais le caquet bas) ; le nom *caquet* désigne par plaisanterie le bec d'une poule qui « caquette », alors que le *taquet* désigne un piquet en bois ou en métal (le taquet d'un meuble, un taquet d'amarrage, un taquet d'escalier).

20. en rang d'oignons ; Voilà mon opinion

➤ On doit écrire *oignon* et non *oignion* ou *ognon* (nous placer en rang d'oignons, éplucher un oignon). On doit écrire *opinion* et non *opignion* (Voilà mon opinion, un sondage d'opinion). L'orthographe *opignion*, née probablement de la fusion des mots *oignon* et *opinion,* fait pleurer les professeurs de français...

21. mal emmanchée

➤ Le participe passé *emmanché*, du verbe *emmancher*, s'emploie surtout dans les expressions *bien emmanché* ou *mal emmanché*, qui signifient «robuste, bien constitué» ou «faible, mal constitué» (Quelle équipe mal emmanchée! Ils sont bien emmanchés). L'orthogaphe *amancher*, qui fait double emploi avec *emmancher*, n'est pas recommandable, du moins dans la langue soutenue.

22. C

➤ Seuls les verbes *déclencher* et *enclencher*, dérivés de *clenche*, «petit levier», ainsi que *pencher* se terminent par -*encher* (Avant de déclencher sa sanglante Révolution, enclencher un processus, pencher la tête); les autres verbes se terminent par -*ancher* (brancher, épancher, flancher, etc.). Le participe passé *aligné*, du verbe *aligner*, désigne ce qui est en ligne droite ou, au figuré, un comportement unique (fussent tous alignés sur la politique, les pays alignés, aligner des mots); les mots *enligné* ou *enligner* n'existent pas.

23. Les aborigènes ; Je les félicite

➤ On doit écrire *aborigènes* et non *arborigènes* (Les aborigènes ont toujours eu un respect, la population aborigène); notez que le mot *autochtones* tend à remplacer *aborigènes* pour désigner les premiers habitants ou les indigènes d'un pays (Les autochtones ont toujours eu un respect, la population autochtone). Les mots de la famille de *félicité* s'écrivent tous «li» et non «lé» à la 2e syllabe (Je les félicite, nos félicitations, la félicité).

24. de prestidigitateur ; une excellente manucure

➤ Le nom *prestidigitateur*, formé de *preste*, «prompt, agile», et de *digitus*, «doigt», signifie «habile de ses doigts» (tout mon succès de prestidigitateur). Le nom *manucure*, formé de *manus*, «main» et de *curare*, «soigner», signifie «prendre soin des mains» (ma femme, qui est une excellente manucure); le nom *manucure* est du genre féminin s'il désigne le métier (pratiquer la manucure) et de l'un ou l'autre genre s'il désigne une personne (un excellent manucure, une excellente manucure).

25. B

➤ Le nom *échauffourée*, dérivé de *chaufour*, «four à chaux», désigne une bagarre (Les échauffourées sont devenues si fréquentes). Le verbe *caparaçonner*, dérivé de *caparaçon*, «armure de cheval», signifie «se protéger d'une armure, bien se protéger» (les joueurs doivent se caparaçonner). L'orthographe *carapaçonner* est fautive et vient du rapprochement fait avec la «carapace» qui protège la tortue.

26. et tout le bataclan

➤ Le nom *bataclan*, et non *pataclan*, désigne un attirail, un équipement encombrant, et il s'emploie surtout dans l'expression *et tout le bataclan* (la tente, les sacs de couchage et tout le bataclan).

27. un engin spatial ; l'aéroport John-Glenn

➤ L'adjectif *spatial* s'écrit avec un *t* prononcé « s » devant la lettre *i* (un engin spatial) ; notez que l'adjectif *spacieux* s'écrit avec un *c* prononcé « s » devant la lettre *i* (un logement spacieux). Le nom *aéroport* est formé à l'aide du préfixe *aéro-*, qui signifie « air » et que l'on trouve dans de nombreux mots (l'aéroport John-Glenn, un aérodrome, l'aéronautique).

28. A

➤ Le mot *pénitentiaire*, qui s'emploie seulement comme adjectif, s'écrit avec un *t* prononcé « s » devant la lettre *i* (un régime pénitentiaire tout à fait original, un établissement pénitentiaire). Le mot *pénitencier*, qui s'emploie seulement comme nom, s'écrit avec un *c* prononcé « s » devant la lettre *i* (dans chaque pénitencier, la vie dans un pénitencier).

29. nos arrérages ; Rémunération équitable

➤ Le nom *arrérages*, toujours pluriel, désigne un montant, une redevance dont l'échéance est passée ; il s'écrit sans *i* bien qu'il vienne du mot *arrière* (Payez-nous nos arrérages !). Les mots de la famille de *rémunération* commencent par *rémuné-* (Rémunération équitable, être bien rémunéré, un travail rémunérateur) ; l'orthographe *rénumération*, qui est fautive, vient probablement du rapprochement avec les mots *énumération* et *énumérer*.

30. j'ai bénéficié ; ma gynécologue

➤ Le verbe *bénéficier* est formé à l'aide du préfixe *béné-*, qui signifie « bien » (j'ai bénéficié) ; les mots *bénéfice*, *bénéficiaire* et *bénéfique* appartiennent à la même famille. Le nom *gynécologue* est formé à l'aide du préfixe *gynéco-*, qui signifie « femme » (de ma gynécologue) ; une gynécologue, si « géniale » soit-elle, ne mérite pas le titre de « génycologue » !

31. de serpent venimeux ; quelques champignons vénéneux

➤ L'adjectif *venimeux* signifie « qui a du venin », une substance toxique sécrétée par certains animaux (une langue de serpent venimeux, une araignée venimeuse) ; il s'emploie aussi au figuré dans le sens de « méchant » (des propos venimeux). L'adjectif *vénéneux* signifie « qui contient du poison », en parlant de certaines plantes (quelques champignons vénéneux, une plante vénéneuse).

32. une sommité en physique nucléaire ; un terrible dilemme

➤ Le nom *sommité*, dérivé de *sommet*, prend deux *m* et s'emploie pour désigner un personnage éminent (une sommité en physique nucléaire) ; l'orthographe *somnité* est fautive. Le nom *dilemme* désigne une alternative formée de propositions contradictoires, un conflit intérieur (fut confronté à un terrible dilemme, être devant un dilemme) ; l'orthographe *dilenne* est fautive et vient du rapprochement avec le mot *indemne*.

33. Bouddha ; par télépathie

➤ Le nom *Bouddha* se termine par *-ha*, alors que les noms *Allah* et *Jéhovah* se terminent par *-ah* (communiquer avec Bouddha / avec

Allah et Jéhovah). Le nom *télépathie* se termine par le suffixe *-pathie*, qui signifie « éprouver » (de communiquer par télépathie) ; notez que les lettres *th* se trouvent dans les suffixes *-pathie* (télépathie, sympathie), *-pathique* (sympathique, télépathique) et *-pathe* (névropathe, psychopathe) ainsi que dans le mot racine *path-* (pathétique, pathologie).

34. B

➤ Le nom *sphinx*, qui désigne une statue de lion à tête d'homme, se termine par *-inx* (droite comme un sphinx) ; notez que les noms *lynx*, *larynx* et *pharynx* se terminent par *-ynx* (de ses yeux de lynx, dans le larynx). Les mots de la famille de *attraper* prennent un *p* (la chatte l'attrapa, un attrape-nigaud) ; notez que les mots de la famille de *trappe* prennent deux *p* (une trappe à lion, un trappeur, un trappiste) ; le mot *chausse-trape* ou *chausse-trappe* a une racine différente de *attraper* et de *trappe*.

35. les pomiculteurs ; l'imbécillité

➤ Les mots *pomiculteur* et *pomiculture*, dérivés du mot latin *pomum*, qui signifie « fruit », prennent un *m* (les pomiculteurs arrosent, pratiquer la pomiculture) ; les mots dérivés du nom français *pomme* prennent deux *m* (arrosent les pommiers, de belles pommettes, etc.). Le nom *imbécillité*, bien qu'il soit dérivé de *imbécile*, prend deux *l* (l'imbécillité de ces pollueurs).

36. C

➤ Le nom *trombone* ne prend qu'un *n* (jouer du trombone) ; l'orthographe *trombonne* est fautive et vient du rapprochement avec certains mots en *-onne* comme *baronne*, *bonne*, *bonbonne*, etc. Le nom *timbale* s'écrit *-im* à la 1re syllabe et il s'emploie surtout au pluriel (je l'accompagne aux timbales, une paire de timbales) ; notez que le nom *cymbale* s'écrit *-ym* à la 1re syllabe (jouer des cymbales) et que sa finale *-bale* a servi à former le mot *timbale*.

37. B

➤ Les noms *joaillier* et *quincaillier* se terminent par le suffixe *-ier*, qui sert à désigner des noms de métier (chez un joaillier ou un quincaillier). La difficulté orthographique tient au fait que dans ces mots on utilise quatre lettres, soit *-illi*, pour représenter le son « y » (joaillier et quincaillier se prononcent « joayer » et « quincayer »).

38. tous azimuts

➤ Le nom *azimut* se termine par la lettre *t* et il s'emploie souvent dans l'expression *tous azimuts*, qui signifie « dans toutes les directions et par tous les moyens possibles » (par une publicité tous azimuts). L'orthographe *azimuth* est fautive et vient probablement du rapprochement avec le nom *zénith*, qui signifie « point culminant » (au zénith de leur gloire).

39. de cassonade

➤ Le nom *cassonade* ne prend qu'un *n* (ajouter un peu de sucre ou de cassonade) ; notez que, comme *cassonade*, le nom *limonade* ne prend qu'un *n* (faire de la limonade), alors que le nom *citronnade* et les autres dérivés de *citron* prennent deux *n* (une citronnade, une boisson citronnée, de la citronnelle).

40. en l'occurrence ; Cette poudre de perlimpinpin

➤ Le nom *occurrence* prend deux *c* et deux *r* et il s'emploie souvent dans l'expression *en l'occurrence*, qui signifie « dans le cas présent » (en l'occurrence, la « Face de bébé »). Le nom *perlimpinpin* prend un *n* plutôt qu'un *m* devant le *p* de la dernière syllabe et il désigne une substance vendue comme panacée par des charlatans (Cette poudre de perlimpinpin). Notez qu'en français cinq mots conservent par exception le *n* devant *p* ou *b* (perlimpinpin, embonpoint, bonbon, bonbonnière et bonbonne).

AUTOÉVALUATION

1. Ma gynécologue ; à leur stade oral

2. B

3. par effraction ; ses empreintes digitales

4. A

5. C

6. les bribes de conversation ; se résigner à déménager

7. A et D

8. ses formes aérodynamiques ; d'embonpoint

9. C

10. pleins d'ampoules ; couvert de cloques

AUTORELAXATION

Un « hebdromadaire » qui fait le plein d'humour

1. Croyez-le ou non ; Une tornade ; un torticolis

2. Lors d'une beuverie ; un alcoolique invétéré ; battre le fer

3. Au pays des pharaons ; Une pyramide d'Égypte

4. Proxénétisme ; le pot aux roses

5. Des funérailles ; d'un infarctus

6. de la Sicile ; un viticulteur (ou un vigneron, « viniculteur » n'existe pas) ; de la coupe aux lèvres

7. aux concombres ; la pointe de l'iceberg

AUTOCORRECTION

1. le langage ; mon premier exercice

➤ Le nom *langage* ne prend pas de *u* entre le *g* et le *a* (le langage des fleurs) ; l'orthographe *language* est anglaise. Le nom *exercice* se termine par *-ce* (mon premier exercice pratique) ; l'orthographe *exercise* est anglaise.

2. Dans les petites annonces ; quelques retouches

➤ On dit *petites annonces* et non *annonces classées*, qui est un calque de « classified ads » (Dans les petites annonces du *Journal de la mariée*). Pour désigner une modification apportée à un vêtement, on dit *retouche* et non *altération*, qui en ce sens est un anglicisme (Peut nécessiter quelques retouches) ; en français, une *altération* est un changement en mal (l'altération d'un produit lors du transport, l'altération des faits).

3. du hasard ; Nous avons toujours eu l'impression

➤ Le nom *hasard* s'écrit avec un *s* prononcé « z » entre deux voyelles (un effet du hasard) ; l'orthographe *hazard* est anglaise. On dit *avoir l'impression* et non *être sous l'impression*, qui est un calque de « to be under the impression » (Nous avons toujours eu l'impression que nous étions prédestinés, avoir l'impression de rêver).

4. au comptoir à salades ; une pelure d'abricot

➤ On dit *comptoir à salades* et non *bar à salades*, qui est un calque de « salad bar » (au comptoir à salades du restaurant). Le nom *abricot* s'écrit avec un *b* (comme une pelure d'abricot, de la confiture d'abricots) ; l'orthographe *apricot* est anglaise.

5. tout le confort ; d'un centre commercial

➤ Le son « on » s'écrit toujours *on* dans le mot *confort* et dans ses dérivés, *confortable, inconfort, inconfortable*, etc. (tout le confort nécessaire, un fauteuil confortable) ; l'orthographe *comfort* est anglaise. On dit *centre commercial* et non *centre d'achats*, qui est un calque de « shopping centre » (dans le stationnement d'un centre commercial).

6. jusqu'à ce jour ; Cordialement, Votre Benoît

➤ On dit *jusqu'à ce jour, jusqu'à maintenant, jusqu'à présent* et non *jusqu'à date*, qui est un calque de « up to date » (les efforts que j'ai faits jusqu'à ce jour) ; de même, on dit *à ce jour* ou *à jour* et non *à date* (tout va bien à ce jour, je suis à jour dans mon travail). On emploie les formules de salutation *Cordialement, Bien cordialement, Salutations cordiales* et non *Bien à vous, Bien vôtre, Sincèrement vôtre*, qui sont des calques de « Yours truly, Yours sincerely » (Cordialement, Votre Benoît ; Bien cordialement, Pâquerette).

7. de poster mon courrier ; envoie aussi les dépliants

➤ On dit *poster* et non *maller*, mot non français qui vient de « to mail » (N'oubliez pas de poster mon courrier) ; on dit aussi *la poste, la boîte aux lettres* et non *la malle, la boîte à malle* (envoyer une lettre par la poste, la déposer dans la boîte aux lettres). Pour désigner des textes de publicité, on dit *dépliant, circulaire, prospectus*, etc., et non *pamphlet*, qui en ce sens est un anglicisme (que je vous envoie aussi les dépliants, distribuer des circulaires) ; en français, un *pamphlet* est un écrit de style virulent (un pamphlet anticlérical).

8. À cause de ma grande timidité ; je n'arrête jamais un suspect

➤ On emploie la locution prépositive *à cause de* ou *en raison de* et non *dû à*, qui est un calque de « due to » (À cause de ma grande timidité) ; l'expression *être dû à*, qui signifie *être causé par*, est bien française (cela est dû à ma grande timidité, sa réussite est due à l'effort). On dit *arrêter, mettre en état d'arrestation* et non *mettre sous arrêt*, qui est un calque de « to put under arrest » (je n'arrête jamais un suspect, je ne mets jamais un suspect en état d'arrestation).

9. que je me ridiculise en avouant ; En ce qui me concerne, je me considère

➤ On dit *se ridiculiser, se rendre ridicule* et non *faire un fou de soi*, qui est un calque de « to make a fool of oneself » (que je me ridiculise en avouant, que je me rends ridicule en avouant). On dit *en ce qui me concerne* et non *en autant que je suis*

concerné, qui est un calque de « as far as I am concerned » (En ce qui me concerne, je me considère sain d'esprit).

10. le grand solde de vêtements ; un pain de savon

➤ On emploie *solde, vente au rabais*, pour désigner l'action de vendre à prix réduit (c'était le grand solde de vêtements bruns, la vente au rabais se termine demain) ; en français, le mot *vente* ne désigne que l'action de vendre (la vente de ce produit est en hausse, la vente en magasin) ; en anglais, le mot *sale* peut s'employer dans l'un ou l'autre sens (solde ou vente). On dit *pain de savon, savonnette*, et non *barre de savon*, qui est un calque de « soap-bar » (J'ai donné un pain de savon brun à une cliente). Notez que l'expression *barre de chocolat*, longtemps considérée comme un anglicisme, est maintenant acceptée en français ; on peut employer indifféremment *barre* ou *tablette de chocolat*.

11. des mesures draconiennes ; qui ne respectera pas ces normes

➤ Pour qualifier des mesures « très sévères », on emploie l'adjectif *draconiennes* et non *drastiques*, qui est un calque de « drastic measures » (prône des mesures draconiennes) ; en français, l'adjectif *drastique* se dit d'un remède « très efficace » (un purgatif drastique). Pour désigner un comportement conforme, on emploie *respecter, satisfaire, s'acquitter*, etc. (qui ne respectera pas ces normes, satisfaire à des exigences, s'acquitter de ses responsabilités) ; l'emploi de *rencontrer* en ce sens est un anglicisme (« to meet »).

12. coûte cher d'interurbains ; des appels à frais virés

➤ On dit *interurbain* et non *longue distance*, qui est un calque de «long distance» (ça me coûte cher d'interurbains, faire un interurbain). On dit *à frais virés* et non *à charge renversée*, qui est un calque de «reversed charge» (de faire des appels à frais virés).

13. a présenté Priscilla Taillefer et moi à Mᵐᵉ Presley ; offert nos condoléances

➤ On dit *présenter quelqu'un à une autre personne* (Everly Brodeur a présenté Priscilla Taillefer et moi à Mᵐᵉ Presley) ; l'expression *introduire quelqu'un auprès d'une autre personne* est un calque de «to introduce someone to someone» ; en français, le verbe *introduire* ne s'applique pas à des personnes. On offre *ses condoléances* à quelqu'un et non *ses sympathies*, qui est un calque de «one's sympathy» (Nous lui avons offert nos condoléances).

14. Mark Brodeur, le conseiller juridique ; la perception des droits d'auteur

➤ On dit *conseiller juridique* et non *aviseur légal*, qui est un calque de «legal adviser» (Mark Brodeur, le conseiller juridique, s'occupe) ; le mot *aviseur* n'est pas français. On dit *droits d'auteur* et non *royautés*, qui en ce sens est un anglicisme («royalties») ; en français, les *droits d'auteur* s'appliquent à une œuvre artistique et les *redevances* s'appliquent à un bien (terrain, pétrole, etc.) ou à un service (téléphone, électricité, etc.) ; le mot anglais *royalties* inclut ces deux notions.

15. de leur produit dans une publicité ; je leur ai fait savoir

➤ On dit *publicité, message publicitaire* et non *commercial*, qui en ce sens est un anglicisme ; en français, le mot *commercial* s'emploie seulement comme adjectif et désigne ce qui a rapport au commerce (un produit commercial, une entreprise commerciale). On dit *faire savoir* quelque chose à quelqu'un et non *laisser savoir* quelque chose à quelqu'un, qui est un calque de «to let someone know» (Je leur ai fait savoir que je n'étais).

16. Je suis certain que je dois ; Je vous demande de bien applaudir Manuella

➤ On dit *être certain que, être persuadé que* et non *être positif*, qui est un calque de «to be positive that» (Je suis certain que je dois) ; de même, on dit *certainement, assurément* et non *positivement*, qui vient de «positively» (il est assurément le meilleur). On dit *bien applaudir, applaudir très fort, donner de vifs applaudissements* et non *une bonne main d'applaudissements*, qui est un calque de «a good hand of applause» (Je vous demande de bien applaudir Manuella, de lui donner de vifs applaudissements).

17. sous aucun prétexte ; si vous avez un rendez-vous

➤ On dit *sous aucun prétexte* et non *sous aucune considération*, qui est un calque de «on no consideration» (Ne sortez sous aucun prétexte). On dit *rendez-vous* et non *appointement*, qui en ce sens vient de l'anglais «appointment» (si vous avez un rendez-vous chez le dentiste) ; en français, les *appointements* désignent une rétribution fixe versée à un employé (recevoir des appointements mensuels).

18. je vais faire une promenade ; je me sens mal à l'aise d'être

➤ On dit *faire une promenade, se promener* et non *prendre une marche*, qui est un calque de « to take a walk » (je vais faire une promenade avec mon chien). On dit *se sentir mal à l'aise* et non *se sentir inconfortable*, qui est un calque de « to feel uncomfortable » (je me sens mal à l'aise d'être le maître) ; en français, l'adjectif *inconfortable* s'applique à un objet ou à une situation et non à une personne (un fauteuil inconfortable, se trouver dans une situation inconfortable).

19. au congrès des divinités ; une collecte de fonds

➤ On dit *congrès* et non *convention*, qui en ce sens est un anglicisme (m'ont invité au congrès des divinités) ; en français, le mot *convention* désigne un accord ou des règles de conduite (signer une convention collective, respecter les coutumes et les conventions). On dit *collecte de fonds, campagne de financement, campagne de souscription* et non *levée de fonds*, qui est un calque de « fund raising » (Pourriez-vous organiser une collecte de fonds ? La campagne de souscription fut-elle un succès?).

20. j'ai eu une discussion ; ils étaient d'avant-garde

➤ On dit *avoir une discussion, avoir une dispute* et non *avoir un argument*, qui en ce sens est un calque de « to have an argument » (j'ai eu une discussion avec un physicien) ; en français, un *argument* est un rai-

sonnement fondé, une preuve (apporter un argument, avoir de bons arguments). On dit *être d'avant-garde, être avant-gardiste* et non *être en avant de son temps*, qui est un calque de « to be ahead of one's time » (ils étaient d'avant-garde, ils sont avant-gardistes).

21. des leçons d'harmonica ; apprendre à faire face aux difficultés

➤ On dit *harmonica* et non *musique à bouche*, qui est un calque de « mouth-organ » (donner des leçons d'harmonica) ; au Québec, on utilise aussi le très suggestif « ruine-babines »... On dit *faire face aux difficultés* et non *faire face à la musique*, qui est un calque de « to face the music » ; on peut dire aussi *faire face aux épreuves, affronter les épreuves* ou *les difficultés* ; l'expression choisie doit refléter l'idée d'opposition, de contrariété.

22. ne prenez jamais le parti ; désirez contribuer à enrayer

➤ On dit *prendre le parti* ou *la défense de quelqu'un* et non *prendre la part de quelqu'un*, qui est un calque de « to take someone's part » (ne prenez jamais le parti de l'un ou l'autre des belligérants). On dit *contribuer à, collaborer à, participer à*, etc., et non *faire sa part*, qui est un calque de « to do one's part » (Si vous désirez contribuer à enrayer ce fléau, Si vous désirez participer à l'enrayement de ce fléau).

23. Le calendrier des Expos ; une publicité persuasive

➤ On dit *calendrier, horaire, programme*, etc., et non *cédule*, qui en ce sens vient de l'anglais « schedule » ; de même, on dit *établir le* calendrier, *l'horaire*, etc., et non *cé-duler*, de « to schedule » (établir le calendrier des Expos). Pour exprimer l'idée de grande force, on emploie l'adjectif *persuasif, dynamique, énergique*, etc., et non *agressif*, qui en ce sens vient de l'anglais « aggressive » (une publicité persuasive, un vendeur dynamique) ; en français, l'adjectif *agressif* signifie « hostile », « violent » (un joueur agressif et même brutal).

24. se rendre au siège social ; bureau 1301

➤ On dit *siège social* et non *bureau-chef*, qui est un calque de « head office » (au siège social de ma Maison de correction). Pour désigner un lieu de travail, on dit *bureau* et non *suite*, qui en ce sens est un anglicisme (bureau 1301, du complexe) ; en français, le mot *suite* sert à désigner un appartement luxueux, formé d'une « suite de pièces », dans un hôtel (réserver une suite d'hôtel).

Notez que les mots *télécopieur* et *courriel* ont remplacé, du moins au Québec, les anglicismes *fax* et *e-mail*.

25. Je ne prends pas de risque ; Le plat du jour

➤ On dit *prendre* ou *courir un risque* et non *prendre une chance*, qui est un calque de « to take a chance » (Je ne prends pas de risque quand je mange). On dit *plat* ou *menu du jour* pour désigner ce que l'on sert de particulier chaque jour dans un restaurant (Le plat du jour cache parfois la surprise ; consulter le menu du jour) ; l'emploi de *spécial* comme nom est un anglicisme.

26. Je ne ferai plus jamais de demande d'emploi

➤ On dit *demande d'emploi* et non *application*, qui en ce sens est un anglicisme (Je ne ferai plus jamais de demande d'emploi) ; de même, on dit *postuler un emploi, faire une demande d'emploi* et non *appliquer pour un emploi*, qui est un calque de « to apply for » (postuler un emploi dans une entreprise, faire une demande d'emploi pour obtenir un poste). En français, le mot *application* désigne l'action de recouvrir (une application de peinture), ou le fait d'être soigneux (travailler avec application).

27. un entrepreneur en déneigement

➤ Le nom *entrepreneur* désigne une personne à qui l'on confie un contrat de travail dans le domaine de la construction ou de l'habitation (un entrepreneur en déneigement, un entrepreneur en bâtiments) ; le mot *contracteur*, de l'anglais « contractor », n'existe pas en français.

28. une voiture d'occasion

➤ L'expression *d'occasion* sert à désigner une marchandise qui n'est pas neuve et qui se vend bon marché (J'ai acheté une voiture d'occasion ; acheter un réfrigérateur d'occasion, vendre des livres d'occasion) ; l'emploi en ce sens de l'adjectif *usagé* est un anglicisme (« used »). En français, l'adjectif *usagé* désigne un objet qui a beaucoup servi, mais qui est encore en bon état (des vêtements usagés, un fauteuil usagé) ; un objet qui n'est plus utilisable est *usé* (des vêtements usés à la corde, des semelles usées).

29. j'ai eu un trou de mémoire

➤ On dit *trou de mémoire* et non *blanc de mémoire*, qui est un calque de « a blank » (j'ai eu un trou de mémoire, j'ai lu le roman *Trou de mémoire* de Hubert Aquin).

30. le camarade Boulba est déprimé

➤ On dit *être déprimé, avoir le cafard, broyer du noir*, etc., et non *avoir les bleus*, qui est un calque de « to have the blues » (le camarade Boulba est déprimé, il a le cafard, il broie du noir).

31. moins d'exemplaires de ma grammaire

➤ Le mot *exemplaire* sert à désigner des objets de même type — livres, journaux, photos, etc. — reproduits en série (des exemplaires de grammaire, acheter un exemplaire d'un livre, un journal tiré à des milliers d'exemplaires) ; l'emploi de *copie* en ce sens est un anglicisme (« copy »). En français, le mot *copie* désigne un devoir d'écolier (les élèves remettraient des copies), l'action de copier (leur imposeraient moins de copies) ou encore un document photocopié (faire une copie d'un texte, la copie d'un document).

32. de la monnaie pour un huard

➤ Le mot *monnaie* désigne les pièces de métal servant de moyen d'échange (s'il avait de la monnaie pour un huard, j'ai besoin de monnaie) ; l'emploi de *change* en ce sens est un anglicisme. En français, le mot *change* s'emploie pour désigner l'échange de monnaies différentes ou la conversion d'une monnaie en une autre (un bureau de change, le taux de change, le contrôle des changes). Note : la valeur du cari-bou, du castor et de la feuille d'érable est donnée dans votre porte-monnaie, s'il contient suffisamment de monnaie !

33. pour son bal de fin d'études

➤ On dit *bal de fin d'études, cérémonie de remise des diplômes* et non *graduation*, qui est un anglicisme en ce sens (pour son bal de fin d'études, aller à la cérémonie de remise des diplômes) ; en français, le mot *graduation* désigne la division en degrés sur un instrument de mesure (la graduation d'un thermomètre). De même, on dit *obtenir un diplôme, être diplômé* et non *graduer, être gradué* (je viens d'obtenir mon diplôme, je suis diplômé de cette université).

34. une boisson gazeuse de 96,9 l ; un sac de bretzels de 96,9 kg

➤ On dit *boisson gazeuse* et non *liqueur douce*, qui est un calque de « soft drink » (une boisson gazeuse de 96,9 l, ma boisson gazeuse préférée) ; en français, le mot *liqueur* désigne une boisson sucrée à base d'alcool (une liqueur de framboise, une liqueur de cassis). Le mot *bretzels* s'écrit avec un *b* et il s'emploie surtout au pluriel, comme *croustilles* (un sac de bretzels, manger des bretzels) ; l'orthographe *pretzels* est anglaise.

35. que j'ai besoin de vacances

➤ On dit *avoir besoin de* et non *être dû pour*, qui est un calque de « to be due for » (Je crois que j'aurais besoin de vacances, mon auto aurait besoin d'une mise au point).

36. il y a une probabilité sur dix

➤ Le mot *probabilité* désigne ce qui peut arriver, dans un sens favorable ou défavorable (il y a une probabilité sur dix que j'aie une otite, les probabilités que je réussisse sont élevées) ; l'emploi de *chance* pour désigner une probabilité défavorable ou un risque est un anglicisme. En français, on peut employer le mot *chance* pour désigner une probabilité favorable (il y a une chance sur dix que je réussisse, je cours la chance de gagner) et le mot *risque* pour désigner une probabilité défavorable (je cours le risque d'être malade).

37. tes résultats scolaires, je m'entraîne pour aller

➤ Le mot *scolaire* désigne ce qui est relatif à l'école (tes résultats scolaires, une année scolaire, la formation scolaire) ; l'emploi de *académique* en ce sens est un anglicisme ; en français, le mot *académique* désigne ce qui est relatif à une académie (un discours académique, un siège académique) ou ce qui est conventionnel (un peintre académique, une poésie académique). Le mot *universitaire* peut s'employer à la place de *scolaire* (une année universitaire, la formation universitaire).

Les verbes *se pratiquer*, *pratiquer* et le nom *pratique* sont des anglicismes dans le sens de *s'entraîner*, *s'exercer*, *exercice* et *entraînement* (je m'entraîne pour aller à l'école, il s'exerce au violon, le club a eu un exercice ce matin, ce jeu exige beaucoup d'entraînement). En français, on peut *pratiquer* une activité, se consacrer à la *pratique* d'une activité ; cela signifie qu'on respecte les règles propres à cette activité (je pratique la bicyclette, la pratique de ce sport exige beaucoup d'adresse).

38. de mon extrait de baptême

➤ On dit *extrait de baptême, extrait de naissance, acte de naissance* et non *certificat de baptême, certificat de naissance,* qui sont des calques de « certificate of baptism, birth certificate » (une copie de de mon extrait de baptême, de mon acte de naissance). En français, le mot *certificat* désigne une attestation confirmant un fait ou un droit (un certificat médical, un certificat de travail) ou encore un diplôme (obtenir un certificat d'études).

39. d'annuler notre rendez-vous

➤ On dit *annuler* et non *canceller,* qui n'existe pas en français et qui a été formé à partir de « to cancel » (je vous prie d'annuler notre rendez-vous, annuler une réservation, annuler une commande) ; à la place de *annuler,* on dit aussi *décommander* (elle a décommandé son rendez-vous, il a décommandé la réservation, on a décommandé la marchandise).

40. à la documentation que j'ai lue ; qui est pratiquement l'espéranto

➤ Le mot *documentation* sert à désigner les ouvrages spécialisés ou techniques (Si je me fie à la documentation, consulter la documentation médicale) ; l'emploi de *littérature* en ce sens est un anglicisme (« literature ») ; en français, la *littérature* ne désigne que les ouvrages littéraires (étudier la littérature française). On dit *pratiquement, en pratique, en fait, à toutes fins utiles,* et non *à toutes fins pratiques,* qui est un calque de « for all practical purposes » (l'anglais, qui est pratiquement l'espéranto).

AUTOÉVALUATION

1. respectent les plus hauts standards ; sont garantis

2. Ne faites pas de demande pour un emploi, ou Ne postulez pas un emploi

3. A

4. A : à cause de leur mauvais esprit, ou en raison de leur mauvais esprit

5. mes résultats scolaires ; une voiture d'occasion

6. une probabilité sur 10 000 (être heurté n'est pas une chance)

7. C : un exemplaire du journal

8. fraîchement diplômé ; un trou de mémoire

9. Je me sens mal à l'aise

10. dans la publicité que j'ai entendue, ou dans le message publicitaire que j'ai entendu

AUTORELAXATION

Un couple fier de son
Petit Idiomatique

1. a) pour une chanson (« for a song »)
b) pour une bouchée de pain

2. a) Si le chapeau te fait, mets-le ! (« If the cap fits, wear it ! »)
b) Qui se sent morveux se mouche !

3. a) que tu mettes l'épaule à la roue (« to put one's shoulder to the wheel »)
b) que tu mettes la main à la pâte

4. a) Ne mets pas la charrette avant le cheval ! (« to put the cart before the horse »)
b) Ne mets pas la charrue avant les bœufs !

5. a) Il pleut des chats et des chiens ! (« It's raining cats and dogs ! »)
b) Il tombe des cordes !

6. a) J'ai d'autres poissons à frire!
(«to have other fish to fry»)
b) J'ai d'autres chats à fouetter!

7. a) Tu fais une tempête dans une
tasse de thé! («a storm in a tea
cup»)
b) Tu fais une tempête dans un
verre d'eau!

8. a) Tu jettes l'argent à l'égout! («to
throw money down the drain»)
b) Tu jettes l'argent par les
fenêtres!

9. a) Tu avais encore filé à la
française! («to take French
leave»)
b) Tu avais encore filé à l'anglaise!

10. a) quand je pousserai les
marguerites par le haut («to
push up daisies»)
b) quand je mangerai les
pissenlits par la racine

Table des matières

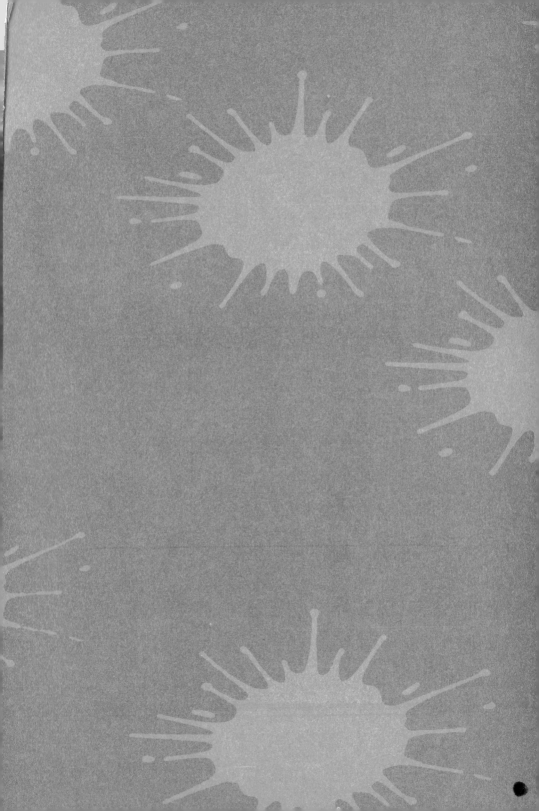